KB076691

편입수학만을 위한 스킬편입수학교재

편입수학
무한급수

skill-math

스킬편입수학
연구소

편입수학-무한급수

발 행 | 2024년 2월 15일
저　자 | 스킬편입수학 연구소
펴낸이 | 한건희
펴낸곳 | 주식회사 부크크
출판사등록 | 2014.07.15.(제2014-16호)
주　소 | 서울특별시 금천구 가산디지털1로 119 SK트윈타워 A동 305호
전　화 | 1670-8316
이메일 | info@bookk.co.kr

ISBN | 979-11-410-7189-9

www.bookk.co.kr

무한급수

무한급수 수렴,발산 판정시 시작항은 신경쓰지 않는다.

무한급수 : 항의 개수가 무한개인 급수이다. $\displaystyle\sum_{n=1}^{\infty} a_n = a_1 + a_2 + a_3 + \cdots + a_n + \cdots$

① $\displaystyle\sum_{n=1}^{\infty} x^n$ 일 때, $|x| < 1$ 이면 $\displaystyle\sum_{n=1}^{\infty} x^n$ 은 수렴

② $\displaystyle\sum_{n=1}^{\infty} \frac{1}{n!}$: 수렴 , $\displaystyle\sum_{n=1}^{\infty} \frac{1}{n^n}$: 수렴

순서1. **발산정리 판정법**(무한급수 판정시 가장 우선 판정을 해야 한다.)

$\displaystyle\sum_{n=1}^{\infty} a_n$ 이 수렴하면 $\displaystyle\lim_{n \to \infty} a_n = 0$ 이다. 대우명제 : $\displaystyle\lim_{n \to \infty} a_n \neq 0$ 이면 $\displaystyle\sum_{n=1}^{\infty} a_n$ 은 발산한다.(★)

역 : $\displaystyle\lim_{n \to \infty} a_n = 0$ 이면 $\displaystyle\sum_{n=1}^{\infty} a_n$ 은 수렴한다. (X)

* $\displaystyle\sum \left(1 - \frac{1}{\blacktriangle}\right)^{\blacktriangle}$ 형태는 전부 발산

순서2. **디리클레 판정법**(발산정리에 의해 판정불가시 디리클레 판정법을 쓰고 디리클레로 판정불가시 다른 판정법을 쓴다. 다른 판정법들은 순서가 없다.)

$$\sum_{n=1}^{\infty} a_n b_n$$

① $\left| \displaystyle\sum_{n=1}^{\infty} a_n \right| \leq C$ (C: 상수)

② $\displaystyle\lim_{n \to \infty} b_n = 0$

⇒ 두 조건을 만족하면 수렴이고 만족하지 않으면 다른 판정법을 쓴다.

---

1) $\displaystyle\sum_{n=1}^{\infty} \left(\frac{3}{4}\right)^n$

2) $\displaystyle\sum_{n=1}^{\infty} (2)^n$

3) $\displaystyle\sum_{n=1}^{\infty} \cos\frac{1}{n}$

4) $\displaystyle\sum_{n=1}^{\infty} \frac{n^2 - 1}{2n^2 + 1}$

5) $\displaystyle\sum_{n=1}^{\infty} (-1)^n e^{\frac{1}{n}}$

6) $\displaystyle\sum_{n=1}^{\infty} (-1)^{n+1} \frac{\sqrt{n}}{1 + 2\sqrt{n}}$

7) $\displaystyle\sum_{n=1}^{\infty} \dfrac{n^{\frac{2}{3}}\cos\dfrac{\pi}{n}}{n^{\frac{1}{2}}}$

8) $\displaystyle\sum_{n=1}^{\infty} n\sin\dfrac{1}{n}$

9) $\displaystyle\sum_{n=1}^{\infty} \left(1-\dfrac{1}{n}\right)^{n}$

10) $\displaystyle\sum_{k=1}^{\infty} \left(1-\dfrac{1}{2k}\right)^{k}$

11) $\displaystyle\sum_{n=1}^{\infty} \left(1+\dfrac{1}{n}\right)^{-n}$

12) $\displaystyle\sum_{n=1}^{\infty} \left(\dfrac{\pi}{e}\right)^{n}$

13) $\displaystyle\sum_{n=1}^{\infty} \dfrac{n\cos n}{n^{2}+1}$

14) $\displaystyle\sum_{n=2}^{\infty} \dfrac{\sin n}{(n+2)(\ln n)^{2}}$

15) $\displaystyle\sum_{n=1}^{\infty} \frac{2\sin\frac{n\pi}{3}}{n^2}$

16) $\displaystyle\sum_{n=1}^{\infty} \frac{n+e^{-n}}{n^3}$

17) $\displaystyle\sum_{n=1}^{\infty} n^{\frac{1}{n}}$

적분 판정법

$f(x) = a_x$ 일 때 $(x \geq 1,\ f(x)$가 연속이고 감소함수$)$

① $\displaystyle\int_1^{\infty} f(x)dx$가 수렴하면 $\displaystyle\sum_{n=1}^{\infty} a_n$도 수렴한다.

② $\displaystyle\int_1^{\infty} f(x)dx$가 발산하면 $\displaystyle\sum_{n=1}^{\infty} a_n$도 발산한다.

쉽게 말해, $\displaystyle\int_1^{\infty} f(x)dx \Leftrightarrow \sum_{n=1}^{\infty} a_n$ 이다.

$*\ \displaystyle\sum \frac{1}{n^a(\ln n)^b}$

① $a > 1$ 일 때 수렴

② $a = 1$ 일 때 $\begin{cases} b > 1 : 수렴 \\ b \leq 1 : 발산 \end{cases}$

③ $a < 1$ 일 때 발산

p급수판정법

$\displaystyle\sum_{n=1}^{\infty} \frac{1}{n^p},\ \begin{cases} p > 1 : 수렴 \\ p \leq 1 : 발산 \end{cases}$

1) $\displaystyle\sum_{n=1}^{\infty} \frac{1}{n}$

2) $\displaystyle\sum_{n=1}^{\infty} \frac{1}{n^2}$

3) $\displaystyle\sum_{n=2}^{\infty} \frac{1}{n(\ln n)^2}$

4) $\displaystyle\sum_{n=2}^{\infty} ne^{-n^2}$

5) $\displaystyle\sum_{n=2}^{\infty} \frac{\ln n}{n^2}$

6) $\displaystyle\sum_{n=2}^{\infty} \frac{1}{\sqrt{n}}$

7) $\displaystyle\sum_{n=2}^{\infty} \frac{1}{n^{\frac{11}{10}}}$

8) $\displaystyle\sum_{n=2}^{\infty} \frac{1}{n(\ln n)^3}$

9) $\displaystyle\sum_{n=2}^{\infty} \frac{1}{n(\ln n)}$

10) $\displaystyle\sum_{n=2}^{\infty} \frac{\ln n}{n}$

11) $\displaystyle\sum_{n=2}^{\infty} \frac{1}{n(\ln n)^t}$ 이 수렴하는 t의 범위

12) $\displaystyle\sum_{n=2}^{\infty} \frac{4}{n \ln n (\ln(\ln n))^2}$

13) $\displaystyle\sum_{n=2}^{\infty} \frac{n}{2n^2+1}$

14) $\displaystyle\sum_{n=2}^{\infty} \frac{n^2}{5n^3-1}$

15) $\displaystyle\sum_{n=1}^{\infty} \frac{n^2}{(5n^3-1)^2}$

16) $\displaystyle\sum_{n=1}^{\infty} \frac{1}{4n+1}$

17) $\displaystyle\sum_{n=1}^{\infty} \frac{1}{(an+b)^t}$ $(a,b>0)$이 수렴하는 t의 범위는?

18) $\displaystyle\sum_{n=1}^{\infty} n^{-\sin 1}$

19) $\displaystyle\sum_{n=1}^{\infty} \frac{1}{n^{\sqrt{e}}}$

20) $\displaystyle\sum_{n=2}^{\infty} \frac{\ln n^3}{n}$

21) $\displaystyle\sum_{n=2}^{\infty} \frac{1}{n \ln n \sqrt{\ln n}}$

22) $\displaystyle\sum_{n=10}^{\infty} \frac{1}{n \ln n (\ln(\ln n))^t}$ 이 수렴하기 위한 t의 조건?

23) $\displaystyle\sum_{n=1}^{\infty} b^{\ln n}$ 이 수렴가능한 양수 b의 범위는?

★ $\displaystyle\sum_{n=2}^{\infty} \frac{1}{(\ln n)^n}$: 수렴, $\displaystyle\sum_{n=2}^{\infty} \frac{1}{(\ln n)^a}$ $(a>0)$: 발산

24) $\displaystyle\sum_{n=2}^{\infty} \frac{1}{\ln n}$ 25) $\displaystyle\sum_{n=2}^{\infty} \frac{1}{(\ln n)^2}$ 26) $\displaystyle\sum_{n=2}^{\infty} \frac{1}{(\ln n)^4}$ 27) $\displaystyle\sum_{n=2}^{\infty} \frac{1}{n^r \ln n}$ 이 수렴할 r의 범위?

28) $\displaystyle\sum_{n=1}^{\infty} n^3 e^{-n^2}$ 29) $\displaystyle\sum_{n=1}^{\infty} \frac{n}{e^{n^2}}$ 30) $\displaystyle\sum_{n=1}^{\infty} n e^{-\sqrt{n}}$

비교판정법(큰수작발)

모든 n에 대하여 $0 < a_n \le b_n$ 일 때, $\displaystyle\sum_{n=1}^{\infty} a_n, \sum_{n=1}^{\infty} b_n$에 대해

① $\displaystyle\sum_{n=1}^{\infty} b_n$이 수렴하면 $\displaystyle\sum_{n=1}^{\infty} a_n$도 수렴한다.

② $\displaystyle\sum_{n=1}^{\infty} a_n$이 발산하면 $\displaystyle\sum_{n=1}^{\infty} b_n$도 발산한다.

1) $\displaystyle\sum_{n=1}^{\infty} \frac{1}{n^2 + 3n}$

2) $\displaystyle\sum_{n=1}^{\infty} \frac{n}{2n^2 + n - 1}$

3) $\displaystyle\sum_{n=1}^{\infty} \frac{1}{n\ln(1+n)}$

4) $\displaystyle\sum_{n=1}^{\infty} \frac{1}{\sqrt{n^2 + 3n}}$

5) $\displaystyle\sum_{n=1}^{\infty} \frac{1}{\sqrt{n^3 + 9n^2 + 2}}$

6) $\displaystyle\sum_{n=1}^{\infty} \frac{n+1}{n^2 + 3n + 8}$

7) $\displaystyle\sum_{n=1}^{\infty} \frac{n}{(2n^2 + 1)^2}$

8) $\displaystyle\sum_{n=1}^{\infty} \frac{1}{n(n+1)(2n+2)}$

9) $\displaystyle\sum_{n=1}^{\infty} \frac{\cos^2 n}{n^2 + 1}$

10) $\displaystyle\sum_{n=1}^{\infty} \frac{\tan^{-1} n}{n\sqrt{n}}$

11) $\displaystyle\sum_{n=1}^{\infty} \frac{5}{4 + 3^n}$

12) $\displaystyle\sum_{n=1}^{\infty} \frac{1 + (-1)^n}{n\sqrt{n}}$

13) $\displaystyle\sum_{n=1}^{\infty} \frac{n+1}{n+10}$

14) $\displaystyle\sum_{n=1}^{\infty} \frac{2n^2 + 29n + 1}{n^3 \ln n}$

15) $\displaystyle\sum_{n=1}^{\infty} \frac{\ln n}{n^3}$

16) $\displaystyle\sum_{n=1}^{\infty} \frac{1}{n^2 \ln n}$

17) $\displaystyle\sum_{n=1}^{\infty} \frac{\sin\frac{\pi}{n}}{n^2}$

18) $\displaystyle\sum_{n=1}^{\infty} \sin\frac{1}{n^2}$

19) $\displaystyle\sum_{n=1}^{\infty} \cos\frac{1}{n^2}$

20) $\displaystyle\sum_{n=1}^{\infty} \frac{1}{n(n+1)}$

21) $\displaystyle\sum_{n=1}^{\infty} \frac{1}{n\sqrt{n+1}}$

22) $\displaystyle\sum_{n=1}^{\infty} \frac{\sqrt{n}}{(\sqrt{n}+1)^3}$

23) $\displaystyle\sum_{n=1}^{\infty} \frac{3n^2+4n+5}{n^3+1}$

24) $\displaystyle\sum_{n=1}^{\infty} \frac{3\tan^{-1}n\pi}{\sqrt[3]{n^5}}$

25) $\displaystyle\sum_{n=1}^{\infty} \frac{\sin n\pi + n}{n^2}$ (주의 $\sin n\pi = 0$, $\cos n\pi = (-1)^n$)

26) $\displaystyle\sum_{n=1}^{\infty} \frac{|\cos^2 n|}{n^4+n}$

27) $\displaystyle\sum_{n=1}^{\infty} \frac{n+\cos n}{n^3}$

28) $\displaystyle\sum_{n=1}^{\infty} \frac{1}{1+\ln n}$

29) $\displaystyle\sum_{n=1}^{\infty} (\sqrt{n+1} - \sqrt{n-1})/n$

비(율)판정법

$\sum_{n=1}^{\infty} a_n$ 에 대해 $\lim_{n \to \infty} \left| \dfrac{a_{n+1}}{a_n} \right| = r$ 일때, $\begin{cases} 0 \le r < 1 : \sum_{n=1}^{\infty} a_n \, \text{수렴} \\[2mm] r > 1 \qquad : \sum_{n=1}^{\infty} a_n \, \text{발산} \\[2mm] r = 1 \qquad : \text{판정불가} \end{cases}$

* $(\;)^n, n!, n^n$ 형태일때 활용

증발법칙

$3^{-x}, e^{-x}, 2^{-x}, \cdots < \sin x, \cos x, \tan^{-1} x < (\ln x)^1 < x^p (p > 0) < a^x (a > 1) < x! < x^x < (2x)!$

1. 다음 급수의 수렴, 발산을 판정하여라.

1) $\displaystyle\sum_{n=1}^{\infty} \frac{n^2}{3^n}$

2) $\displaystyle\sum_{n=1}^{\infty} \frac{n^3}{e^n}$

3) $\displaystyle\sum_{n=1}^{\infty} \frac{100^n}{n^2}$

4) $\displaystyle\sum_{n=1}^{\infty} \frac{n^3}{10^{2n} - 2}$

5) $\displaystyle\sum_{n=1}^{\infty} \frac{4^n}{n(n+1)(n+2)}$

6) $\displaystyle\sum_{n=1}^{\infty} n e^{-n^2}$

7) $\displaystyle\sum_{n=1}^{\infty} \frac{2^n}{n^{100}}$

8) $\displaystyle\sum_{n=1}^{\infty} \frac{2^n}{n!}$

9) $\displaystyle\sum_{n=1}^{\infty} \frac{n!}{n^3}$

10) $\displaystyle\sum_{n=1}^{\infty} \frac{n!}{100^n}$

11) $\displaystyle\sum_{n=1}^{\infty} \frac{100^n}{(2n+1)!}$

12) $\displaystyle\sum_{n=1}^{\infty} \frac{n!}{e^n}$

13) $\displaystyle\sum_{n=1}^{\infty} \frac{(n!)^2 2^n}{(2n)!}$

14) $\displaystyle\sum_{n=2}^{\infty} \frac{e^n}{\ln n}$

15) $\displaystyle\sum_{n=1}^{\infty} \frac{n^n}{n!}$

16) $\displaystyle\sum_{n=1}^{\infty} \frac{n!}{n^n}$

17) $\displaystyle\sum_{n=1}^{\infty} \frac{1.01^n}{n^{2009}}$

18) $\displaystyle\sum_{n=1}^{\infty} \frac{2^n+n}{n!}$

19) $\displaystyle\sum_{n=1}^{\infty} \frac{10^n}{8^n + 9^n}$

20) $\displaystyle\sum_{n=1}^{\infty} \frac{2^n}{3^n + 2^n}$

21) $\displaystyle\sum_{k=2}^{\infty} \frac{\ln k}{\sqrt{k}\,e^k}$

22) $\displaystyle\sum_{n=1}^{\infty} \frac{n-1}{n4^n}$

23) $\displaystyle\sum_{n=0}^{\infty} \frac{n!}{2 \cdot 5 \cdot 8 \cdots (3n+2)}$

24) $\displaystyle\sum_{k=1}^{\infty} \frac{k!}{k^{10} 10^k}$

25) $\displaystyle\sum_{n=1}^{\infty} \frac{n!n!}{(2n)!}$

26) $\displaystyle\sum_{n=1}^{\infty} \frac{(2n)!}{n!n!}$

27) $\displaystyle\sum_{n=1}^{\infty} \frac{n^n}{(2n)!}$

28) $\displaystyle\sum_{k=1}^{\infty} \frac{(2k)!}{3^k k!}$

29) $\displaystyle\sum_{n=1}^{\infty} \frac{8^n (n!)^3}{(3n)!}$

30) $\displaystyle\sum_{n=1}^{\infty} \frac{3^n n!}{n^n}$

31) $\displaystyle\sum_{n=1}^{\infty} \frac{1 \cdot 3 \cdot 5 \cdots (2n-1)}{2 \cdot 5 \cdot 8 \cdots (3n-1)}$

---

n승근 판정법(코시판정법)

$\displaystyle\sum_{n=1}^{\infty} a_n$에 대하여 $\displaystyle\lim_{n\to\infty} \sqrt[n]{|a_n|} = \lim_{n\to\infty} |a_n|^{\frac{1}{n}} = r$일 때, $\begin{cases} 0 \le r < 1 : \text{수렴} \\ r > \quad 1 : \text{발산} \\ r = 1 \quad : \text{판정불가} \end{cases}$

* $(\ )^n$ 형태일때 활용

---

1) $\displaystyle\sum_{n=1}^{\infty} \left(\frac{2n+1}{5n+1} \right)^n$

2) $\displaystyle\sum_{n=1}^{\infty} \left(3 - \frac{1}{2n} \right)^n$

3) $\displaystyle\sum_{n=1}^{\infty} \frac{(3n+2)^{4n}}{(4n+3)^{3n}}$

4) $\displaystyle\sum_{n=1}^{\infty} \left(\frac{n}{n+1} \right)^{n^2}$

5) $\displaystyle\sum_{n=1}^{\infty} \left(1 - \frac{2}{n} \right)^{n^2}$

6) $\displaystyle\sum_{n=2}^{\infty} \frac{en}{(\ln n)^n}$

극한 비교판정법(최후의 보루)

$a_n > 0, b_n > 0$에 대하여 $\displaystyle\lim_{n\to\infty}\frac{a_n}{b_n} = t$ 라 할때, (t는 상수)

$t > 0 : \displaystyle\sum_{n=1}^{\infty} a_n$과 $\displaystyle\sum_{n=1}^{\infty} b_n$은 수렴, 발산을 같이 한다.

★ $\displaystyle\sum_{n=2}^{\infty}\frac{1}{(\ln n)^n}$: 수렴, $\displaystyle\sum_{n=2}^{\infty}\frac{1}{(\ln n)^a}$ $(a > 0)$: 발산, $\displaystyle\sum_{n=2}^{\infty}\frac{1}{\ln(\ln n)}$: 발산

★ $\displaystyle\sum_{n=1}^{\infty}\frac{1}{n}\sin\frac{1}{n} \approx \displaystyle\sum_{n=1}^{\infty}\frac{1}{n}\frac{1}{n}$: 수렴 (sin 날린거랑 같다) , $\displaystyle\sum_{n=1}^{\infty}\frac{1}{n}\sin^{-1}\frac{1}{n} \approx \displaystyle\sum_{n=1}^{\infty}\frac{1}{n}\frac{1}{n}$: 수렴

$\displaystyle\sum_{n=1}^{\infty}\tan\frac{1}{n^2} \approx \displaystyle\sum_{n=1}^{\infty}\frac{1}{n^2}$: 수렴 (tan 날린거랑 같다), $\displaystyle\sum_{n=1}^{\infty}\tan^{-1}\frac{1}{n^2} \approx \displaystyle\sum_{n=1}^{\infty}\frac{1}{n^2}$: 수렴

$\displaystyle\sum_{n=1}^{\infty}\ln(1+a_n) \approx \displaystyle\sum_{n=1}^{\infty} a_n$: (a_n에 따른 수렴과 발산 동시에)

---

1. 다음 급수의 수렴, 발산을 판정하여라.

1) $\displaystyle\sum_{n=1}^{\infty}\sin\frac{1}{n}$

2) $\displaystyle\sum_{n=1}^{\infty}\sin\frac{1}{n^2}$

3) $\displaystyle\sum_{n=1}^{\infty}\tan^{-1}\left(\frac{\pi}{n^2}\right)$

4) $\displaystyle\sum_{n=1}^{\infty}\frac{1}{n}\sin^2\left(\frac{1}{n}\right)$

5) $\displaystyle\sum_{k=2}^{\infty}\sinh^2\left(\frac{1}{\sqrt{k}}\right)$

6) $\displaystyle\sum_{k=1}^{\infty}\sin\left(\sin\frac{1}{k}\right)$

7) $\displaystyle\sum_{n=1}^{\infty}\left(1-\cos\frac{1}{n}\right)$

8) $\displaystyle\sum_{n=1}^{\infty}\frac{n^{\frac{1}{n}}}{(n+1)^2}$

9) $\displaystyle\sum_{n=1}^{\infty}\left(\frac{1}{n}-\ln\left(1+\frac{1}{n}\right)\right)$

2. 무한급수 $\displaystyle\sum_{n=1}^{\infty} n^k \sin\frac{1}{\sqrt{n^3}}$ 이 수렴하기 위한 k조건을 구하시오.

3. 다음 급수의 수렴, 발산을 판정하여라.

1) $\displaystyle\sum_{n=2}^{\infty} \frac{1}{(n+2)\ln n}$

2) $\displaystyle\sum_{k=2}^{\infty} \frac{1}{(\ln k)(\ln(k+1))}$

3) $\displaystyle\sum_{k=2}^{\infty} \frac{k^2+2k+2}{(\ln k)(k^3-k+4)}$

4) $\displaystyle\sum_{n=1}^{\infty} \frac{1}{n^{1+1/n}}$

5) $\displaystyle\sum_{n=1}^{\infty} \ln\left(1+\frac{1}{n}\right)$

6) $\displaystyle\sum_{n=1}^{\infty} (\log(n+1)-\log n)$

7) $\displaystyle\sum_{n=1}^{\infty} \frac{e^{\frac{1}{n}}}{n}$

8) $\displaystyle\sum_{n=1}^{\infty} \sqrt{n}\left\{1-\cos\left(\frac{1}{n}\right)\right\}$

교대급수 판정법

형태 : $\displaystyle\sum_{n=1}^{\infty}(-1)^n a_n,$

수렴조건 : ① a_n이 감소수열

② $\displaystyle\lim_{n\to\infty} a_n = 0$

주의 : $\displaystyle\sum_{n=1}^{\infty}(-1)^{2n} a_n, \sum_{n=1}^{\infty}(-1)^{2n+1} a_n$: 교대급수 아님

절대수렴과 조건부수렴

절대수렴: $\displaystyle\sum_{n=1}^{\infty}|a_n|$이 수렴하면 $\displaystyle\sum_{n=1}^{\infty}a_n$이 수렴 (급수에 절댓값 씌웠을때 수렴하면 절대수렴)

조건부수렴: $\displaystyle\sum_{n=1}^{\infty}|a_n|$이 발산하고 $\displaystyle\sum_{n=1}^{\infty}a_n$은 수렴하면 $\displaystyle\sum_{n=1}^{\infty}a_n$은 조건부수렴이다.

★정리

(발산정리 판단후) 절댓값 씌워서 $\begin{cases} \text{수렴하면 절대수렴} \\ \text{발산하면 원급수의 교대급수에서} \end{cases}$ $\begin{cases} \text{수렴하면 조건부수렴} \\ \text{발산하면 발산} \end{cases}$

Q. 다음 급수의 수렴, 발산을 판정하여라.

1) $\displaystyle\sum_{n=1}^{\infty}\frac{(-1)^n}{n}$

2) $\displaystyle\sum_{n=1}^{\infty}\frac{(-1)^n}{\sqrt{n}}$

3) $\displaystyle\sum_{n=1}^{\infty}\frac{(-1)^{n+1}3n}{4n-1}$

4) $\displaystyle\sum_{n=1}^{\infty}\left(\frac{1}{n}-1\right)^n$

5) $\displaystyle\sum_{n=1}^{\infty}(-1)^n\frac{(2n-1)^{4n}}{(3n+1)^{2n}}$

6) $\displaystyle\sum_{n=1}^{\infty}(-1)^n\frac{\tan^{-1}n}{2+n^2}$

7) $\displaystyle\sum_{n=1}^{\infty}(-1)^n\sin\left(\sin\frac{1}{n}\right)$

8) $\displaystyle\sum_{k=1}^{\infty}(-1)^k k^2\sin^2\left(\frac{1}{k}\right)$

9) $\displaystyle\sum_{n=1}^{\infty}\frac{\cos n\pi}{\sqrt{n}}$

10) $\displaystyle\sum_{n=1}^{\infty}\frac{(-1)^n\cos n\pi}{\sqrt{n}}$

11) $\displaystyle\sum_{n=1}^{\infty}\frac{\cos\left(\dfrac{\pi}{n}\right)}{n+1}$

12) $\displaystyle\sum_{n=1}^{\infty}(-1)^n\frac{1}{2^n}$

13) $\displaystyle\sum_{n=3}^{\infty}(-1)^n\frac{1}{n(\ln n)}$

14) $\displaystyle\sum_{n=1}^{\infty}(-1)^n\frac{1}{e^n}$

15) $\displaystyle\sum_{n=1}^{\infty}(-1)^n e^{\frac{1}{n}}$

16) $\displaystyle\sum_{n=1}^{\infty}(-1)^{n+1}\frac{\sqrt{n}}{1+2\sqrt{n}}$

17) $\displaystyle\sum_{n=1}^{\infty}(-1)^n\cos\frac{1}{n^2}$

18) $\displaystyle\sum_{n=1}^{\infty}(-1)^n\sin\frac{1}{n}$

19) $\displaystyle\sum_{n=2}^{\infty}(-1)^n\frac{1}{\ln n}$

20) $\displaystyle\sum_{n=2}^{\infty}(-1)^n\frac{1}{n(\ln n)^2}$

21) $\displaystyle\sum_{n=2}^{\infty}(-1)^n\frac{1}{\sqrt{2n-1}}$

22) $\displaystyle\sum_{n=2}^{\infty}(-1)^n\dfrac{1}{n^{\frac{3}{2}}+n}$

23) $\displaystyle\sum_{n=2}^{\infty}(-1)^n\dfrac{\sqrt{n}}{1+9\sqrt{n}}$ 에 대한 설명 중 옳은 것은?

① 교대급수이면서 수렴한다.

② 절대수렴한다.

③ 조건부수렴한다.

④ 발산한다.

24) 주어진 급수 $\displaystyle\sum_{n=1}^{\infty}a_n$ 이 수렴한다. 다음에서 항상 수렴하는 것의 개수는?

(가) $\displaystyle\sum_{n=1}^{\infty}(-1)^n a_n$ (나) $\displaystyle\sum_{n=1}^{\infty}(-1)^n 9a_n$ (다) $\displaystyle\sum_{n=1}^{\infty}20a_n$ (라) $\displaystyle\sum_{n=1}^{\infty}a_n^2$ (마) $\displaystyle\sum_{n=1}^{\infty}|a_n|$

25) 다음 보기의 설명 중 옳은 것을 모두 고른 것은?

(가) $\displaystyle\lim_{n\to\infty}a_n=0$ 이면 $\displaystyle\sum_{n=1}^{\infty}a_n$ 은 수렴한다.

(나) $\displaystyle\sum_{n=1}^{\infty}|a_n|$ 이 수렴하면 $\displaystyle\sum_{n=1}^{\infty}a_n$ 도 수렴한다.

(다) $\displaystyle\sum_{n=1}^{\infty}a_n$ 과 $\displaystyle\sum_{n=1}^{\infty}b_n$ 이 수렴하면 $\displaystyle\sum_{n=1}^{\infty}\dfrac{a_n}{b_n}$ 도 수렴한다. (단, $b_n\neq 0$)

26) 다음 중 수렴하는 급수를 모두 고른 것은?

(가) $\displaystyle\sum_{n=1}^{\infty} \frac{1}{n^{\sqrt{e}}}$	(나) $\displaystyle\sum_{n=1}^{\infty} \frac{2n}{n^2-5n+8}$
(다) $\displaystyle\sum_{n=1}^{\infty} \frac{n^2-2n+7}{n^5+5n^4-3n^3+2n-1}$	(라) $\displaystyle\sum_{n=1}^{\infty} \frac{(-1)^n(n-1)}{n+1}$

① (가), (다)   ② (가), (라)   ③ (나), (다)   ④ (나), (라)

$Ans.$ ①

27) $p > 1$ 일 때, $S_p = \displaystyle\sum_{k=1}^{\infty} \frac{1}{k^p}$ 값의 범위를 올바르게 나타 낸것은?

① $\dfrac{1}{p-1} \leq S_p \leq \dfrac{p}{p-1}$ ② $\dfrac{1}{p-1} \leq S_p \leq \dfrac{p+1}{p-1}$

③ $\dfrac{p+1}{p-1} \leq S_p \leq \dfrac{p+2}{p-1}$ ④ $S_p \geq \dfrac{p+2}{p-1}$

$Ans.$ ①

28) 무한급수 $\displaystyle\sum_{n=1}^{\infty} n^k \tan^{-1} \frac{1}{\sqrt{n^5}}$ 이 수렴하기 위한 실수 k 의 필요충분 조건을 구하면?

① $k < 2$ ② $k < \dfrac{3}{2}$ ③ $k < 1$ ④ $k < \dfrac{1}{2}$

$Ans.$ ②

29) 다음 중 무한급수 중에서 수렴하지 않는 것은?

① $\displaystyle\sum_{k=1}^{\infty} \frac{3}{k^2}$　　② $\displaystyle\sum_{k=1}^{\infty} \left(1-\frac{1}{k}\right)^k$　　③ $\displaystyle\sum_{k=1}^{\infty} \frac{(-1)^k}{k}$　　④ $\displaystyle\sum_{k=2}^{\infty} \frac{1}{k^2 \ln k}$

*Ans.*②

30) 다음 적분 중 수렴하는 것을 모두 고르시오.

(가) $\displaystyle\int_0^{\infty} x^2 e^{-x^2} dx$　　(나) $\displaystyle\int_0^1 \frac{1}{\sqrt{\sin x}} dx$　　(다) $\displaystyle\int_2^{\infty} \frac{1}{x(\log x)^2} dx$

① (가), (나)　　② (가), (다)　　③ (나), (다)　　④ (가), (나), (다)

*Ans.*④

31) 다음 급수 중 수렴하는 것을 모두 고른 것은?

(가) $\displaystyle\sum_{n=2}^{\infty} \frac{1}{n\log n}$　　　　(나) $\displaystyle\sum_{n=1}^{\infty} \frac{n!}{n^n}$
(다) $\displaystyle\sum_{n=1}^{\infty} (\log(n+1)-\log n)$　　(라) $\displaystyle\sum_{n=1}^{\infty} \tan^2 \frac{\pi}{n}$

① (가), (나)　　② (나), (다)　　③ (나), (라)　　④ (다), (라)

*Ans.*③

32) 다음 중 수렴하는 무한급수는 모두 몇 개인가?

(가) $\displaystyle\sum_{n=1}^{\infty} \frac{1}{n^{1.21}}$	(나) $\displaystyle\sum_{n=1}^{\infty} \frac{n^3}{3^n}$
(다) $\displaystyle\sum_{n=0}^{\infty} \frac{n^3}{2016(n^3+1)}$	(라) $\displaystyle\sum_{n=1}^{\infty} \frac{1}{2^{2016}+n}$

① 0개　　　　② 1개　　　　③ 2개　　　　④ 3개

*Ans.*③

33) 다음 중 수렴하는 것을 모두 고른 것은?

(가) $\displaystyle\int_{1}^{\infty} \frac{1+e^{-x}}{x} dx$	(나) $\displaystyle\int_{1}^{\infty} \frac{1}{x^2} dx$
(다) $\displaystyle\sum_{n=1}^{\infty} (-1)^n \frac{n-5}{n+2}$	(라) $\displaystyle\sum_{n=1}^{\infty} \frac{n^n}{n!}$

① (나)　　　② (가), (라)　　　③ (다), (라)　　　④ (가), (나), (다)

*Ans.*①

34) 다음 무한급수 중에서 발산하는 것의 개수를 구하면?

(가) $\displaystyle\sum_{n=1}^{\infty} \tan\frac{1}{n^2}$	(나) $\displaystyle\sum_{n=1}^{\infty} \frac{2^n}{n!}$	(다) $\displaystyle\sum_{n=1}^{\infty} n^3 e^{-n^2}$
(라) $\displaystyle\sum_{n=1}^{\infty} \frac{10^n}{8^n+9^n}$	(마) $\displaystyle\sum_{n=1}^{\infty} \frac{(-1)^n}{\ln(n+1)}$	

① 1개　　　　②2개　　　　③ 3개　　　　④ 4개

*Ans.*①

35) 다음 급수 중 수렴하는 것은?

① $\displaystyle\sum_{n=1}^{\infty} 3^{2n} 5^{1-n}$ ② $\displaystyle\sum_{n=1}^{\infty} (-1)^n \frac{n^2-7}{3n^2+3n}$ ③ $\displaystyle\sum_{n=1}^{\infty} (-1)^n \frac{\ln(n^2)}{n}$ ④ $\displaystyle\sum_{n=1}^{\infty} \frac{\sqrt{n}}{\sqrt{n\sqrt{n^3}}}$

$Ans.$③

36) 다음 급수 중 수렴하는 것을 모두 고르면?

(가) $\displaystyle\sum_{n=0}^{\infty} \frac{\sqrt{n}-1}{n^2+1}$	(나) $\displaystyle\sum_{n=1}^{\infty} (-1)^n \frac{(2n-1)^{4n}}{(3n+1)^{2n}}$
(다) $\displaystyle\sum_{n=2}^{\infty} \frac{1}{n(\ln n)^{3/2}}$	(라) $\displaystyle\sum_{n=2}^{\infty} (-1)^n \frac{(\ln n)^5}{\sqrt[3]{n}}$

① (가), (나)   ② (가), (다)   ③ (나), (다)   ④ (가), (다), (라)

$Ans.$④

37) 수열 $\{a_n\}$이 모든 n에 대하여 $a_n > 0$이고 $\displaystyle\sum_{n=1}^{\infty} a_n$이 수렴할 때, 다음 급수 중 수렴하는 것을 모두 고르면?

(가) $\displaystyle\sum_{n=1}^{\infty} \ln(1+a_n)$	(나) $\displaystyle\sum_{n=1}^{\infty} \sqrt{a_n a_{n+1}}$	(다) $\displaystyle\sum_{n=1}^{\infty} \left(\frac{1+\sin a_n}{2}\right)^n$

① (가), (나)   ② (가), (다)   ③ (나), (다)   ④ (가), (나), (다)

$Ans.$④

38) 다음 급수 중 수렴하는 것의 개수는?

(가) $\displaystyle\sum_{n=1}^{\infty}\left(3-\frac{1}{2n}\right)^n$	(나) $\displaystyle\sum_{n=1}^{\infty}\frac{(3n^2-1)^n}{(2n)^{2n}}$	(다) $\displaystyle\sum_{n=1}^{\infty}\left(\frac{3n-1}{2n+1}\right)^n$
(라) $\displaystyle\sum_{n=1}^{\infty}\frac{1}{\left(1+\frac{1}{n}\right)^{n^2}}$	(마) $\displaystyle\sum_{n=0}^{\infty}\frac{1}{2^{n+(-1)^n}}$	

① 0개   ② 1개   ③ 2개   ④ 3개

*Ans.*④

39) 다음 급수 중 발산하는 것의 개수는?

(가) $\displaystyle\sum_{n=1}^{\infty}\frac{(-1)^n}{1+\sqrt{n}}$	(나) $\displaystyle\sum_{n=1}^{\infty}\frac{(-1)^{n+3}}{n}$
(다) $\displaystyle\sum_{n=1}^{\infty}\frac{(-1)^{n+1}n^2}{n^3+1}$	(라) $\displaystyle\sum_{k=2}^{\infty}\frac{(-1)^k}{\ln k}$

① 0개   ② 1개   ③ 2개   ④ 3개

*Ans.*①

40) 다음 무한급수 중 수렴하지 않는 것은?

① $\displaystyle\sum_{n=1}^{\infty}\frac{\ln n}{n^3}$ ② $\displaystyle\sum_{n=1}^{\infty}\frac{(n!)^2}{(2n)!}$ ③ $\displaystyle\sum_{n=1}^{\infty}\frac{n!}{n^n}$ ④ $\displaystyle\sum_{n=1}^{\infty}\frac{e^{\frac{1}{n}}}{n}$

*Ans.*④

41) 다음 중 수렴하는 급수를 모두 고르면?

(가) $\sum_{n=0}^{\infty}\left\{e^{-n}-e^{-(n+1)}\right\}$	(나) $\sum_{n=1}^{\infty}\dfrac{1}{\sqrt[3]{n^2+n+1}}$
(다) $\sum_{n=1}^{\infty}(-1)^n\dfrac{n-99}{n+100}$	(라) $\sum_{n=2}^{\infty}\dfrac{2n-1}{(n-1)(n+1)^2}$

① (가), (다)   ② (가), (라)   ③ (나), (라)   ④ (가), (나), (라)

*Ans.*②

42) 다음 중 절대 수렴(absolutely convergent)하는 무한급수를 모두 고른 것은?

㉠ $\sum_{n=1}^{\infty}\dfrac{(-10)^n}{n!}$	㉡ $\sum_{n=1}^{\infty}\dfrac{(-1)^{n+1}}{n^{\frac{1}{4}}}$
㉢ $\sum_{n=1}^{\infty}\dfrac{n^n}{3^{3n+1}}$	㉣ $\sum_{n=1}^{\infty}\dfrac{n(-3)^n}{4^{n-1}}$

① ㉠, ㉡   ② ㉢, ㉣   ③ ㉠, ㉣   ④ ㉠, ㉢, ㉣

*Ans.*③

43) $\sum_{n=1}^{\infty}(-1)^n\sin\left(\sin\dfrac{1}{n^2}\right)$

44) $\sum_{n=1}^{\infty}\dfrac{(-1)^n\sqrt[n]{2}}{\ln n}$

*x에 관한 멱급수(power series):x의 거듭제곱으로 이루어진 무한급수 또는 맥클로린 급수

*$x - x_0$에 관한 멱급수(power series): $x - x_0$의 거듭제곱으로 이루어진 무한급수 또는 테일러급수

멱급수의 수렴구간:멱급수가 수렴하는 x의 범위

$\displaystyle\sum_{n=1}^{\infty} a_n x^n$의 수렴구간 : $|x| < R$, $\displaystyle\sum_{n=1}^{\infty} a_n (x - x_0)^n$의 수렴구간 : $|x - x_0| < R$

(양 끝점을 급수에 대입하여 최종적으로 수렴발산을 확인)

*멱급수의 수렴반경:수렴구간의 절반

*멱급수의 수렴반경 구하는 방법:

1)비율판정법을 이용하여 $\displaystyle\lim_{n \to \infty} \left| \dfrac{a_{n+1} x^{n+1}}{a_n x^n} \right| < 1$, $\begin{cases} |x| < R : 수렴 \\ |x| > R : 발산 \end{cases}$ 이고 R이 수렴반경

2)급수의 형태에 따라서 n승근 판정법을 활용

★수렴반경

멱급수가 $\displaystyle\sum_{k=1}^{\infty} a_n \square^n$ 인 경우	$R = \displaystyle\lim_{n \to \infty} \left\| \dfrac{a_n}{a_{n+1}} \right\|$	수렴반경:$|\square| < R$
$a_n = n$차 다항식 or $(-1)^n$	$R = 1$	$|\square| < 1$
$a_n = \ln n, \sqrt{n}, \sin n$	$R = 1$	$|\square| < 1$
$a_n = b^n$	$R = \dfrac{1}{b}$	$|\square| < \dfrac{1}{b}$
$a_n = n!$	$R = 0$	$|\square| < 0$
$a_n = \dfrac{(n!)^b}{(bn)!}$	$R = b^b$	$|\square| < b^b$
$a_n = \dfrac{n!}{n^n}$	$R = e$	$|\square| < e$
$a_n = \left(1 + \dfrac{1}{n}\right)^n$	$R = 1$	$|\square| < 1$

① $|x + 2| < 3 \, (R = 3)$ ② $|2x - 2| < 8 \Leftrightarrow (|x - 1| < 4 = R)$

③ $|x^2| < 9 \, (R = 3)$ ④ $|(x - 1)^2| < 4 \, (R = 2)$ ⑤ $|x^2 - 1| < 3 \, (R = 2)$

★ $\displaystyle\sum_{n=1}^{\infty} \dfrac{n^n}{n!} x^n \left(|x| < \dfrac{1}{e} \right)$, $\displaystyle\sum_{n=1}^{\infty} \dfrac{n!}{n^n} x^n \, (|x| < e)$

★ $\displaystyle\sum_{n=0}^{\infty} \dfrac{(bn)!}{(n!)^b} x^n$의 수렴반경 : $\dfrac{1}{b^b} \left(수렴구간은 \left(-\dfrac{1}{b^b}, \dfrac{1}{b^b} \right) \right)$

★ $\displaystyle\sum_{n=0}^{\infty} \dfrac{(n!)^b}{(bn)!} x^n$의 수렴반경 : b^b　(수렴구간은 $(-b^b, b^b)$)

1) $\displaystyle\sum_{n=1}^{\infty} \frac{x^n}{n2^n}$ 의 수렴구간은?

2) $\displaystyle\sum_{n=1}^{\infty} \frac{(-1)^n x^n}{n^2+1}$ 의 수렴구간은?

3) $\displaystyle\sum_{n=1}^{\infty} \frac{(-3)^n x^n}{n+1}$ 의 수렴구간을 구하라.

4) $\displaystyle\sum_{n=1}^{\infty} \frac{(-1)^n x^n}{n(n+1)}$ 의 수렴구간은?

5) $\sum_{n=1}^{\infty} \dfrac{x^{n-1}}{3^n}$ 의 수렴구간을 구하시오.

6) $\sum_{n=1}^{\infty} \dfrac{2^n x^{n+1}}{n}$ 의 수렴구간은?

7) $\sum_{n=1}^{\infty} \dfrac{(-1)^n x^n}{\sqrt{n^2+n+1}}$ 의 수렴구간은?

8) $\sum_{n=1}^{\infty} \dfrac{(-2)^n x^{n-1}}{\sqrt{n}}$ 의 수렴구간은?

9) $\displaystyle\sum_{n=1}^{\infty}\frac{(-1)^n(x-1)^n}{n3^n}$ 의 수렴구간

10) $\displaystyle\sum_{n=1}^{\infty}\frac{(x-2)^n}{n}$ 의 수렴구간

11) $\displaystyle\sum_{n=1}^{\infty}\frac{(x+2)^n}{n^2 2^n}$ 의 수렴구간

12) $\displaystyle\sum_{n=1}^{\infty}\frac{n(x+5)^n}{3^n(n^2+1)}$ 의 수렴구간

13) $\displaystyle\sum_{n=1}^{\infty}\frac{(-3)^n(x-1)^n}{\sqrt{n+1}}$ 의 수렴구간

14) $(x-1)+ \sqrt{2}\,(x-1)^2 + \sqrt{3}\,(x-1)^3 + \cdots$ 의 수렴구간은?

15) $\displaystyle\sum_{n=1}^{\infty} \frac{(2x-5)^n}{n}$ 의 수렴구간

16) $\displaystyle\sum_{n=1}^{\infty} \frac{(2x-1)^n}{n3^n}$ 의 수렴구간

17) $\displaystyle\sum_{n=2}^{\infty} \frac{(x-1)^n}{n \ln n}$ 의 수렴구간

18) $\displaystyle\sum_{n=1}^{\infty} \frac{\ln n (x+1)^n}{n^2}$ 의 수렴구간

19) $\displaystyle\sum_{n=1}^{\infty}\left(\dfrac{\sqrt{x}}{2}-1\right)^{n}$의 수렴구간

20) $\displaystyle\sum_{n=1}^{\infty}\dfrac{nx^{3n}}{8^{n}}$의 수렴구간

21) $\displaystyle\sum_{n=1}^{\infty}\dfrac{x^{2n}}{4^{n}}$의 수렴구간

22) $\displaystyle\sum_{n=1}^{\infty}\dfrac{(\ln x)^{n}}{n}$의 수렴구간은?

23) $\displaystyle\sum_{n=1}^{\infty}e^{nx}$의 수렴구간

24) $\displaystyle\sum_{n=1}^{\infty} 2^n \sin^n x$ 의 수렴구간

25) $\displaystyle\sum_{n=1}^{\infty} \frac{1}{\sqrt{n}}\left(\frac{x-1}{x}\right)^n$ 의 수렴구간

26) $\displaystyle\sum_{n=1}^{\infty} \frac{(x^2-1)^n}{n3^n}$ 의 수렴구간과 수렴반경은?

27) $\displaystyle\sum_{n=1}^{\infty} \frac{2^n x^n}{n!}$ 의 수렴구간

28) $\displaystyle\sum_{n=1}^{\infty} \frac{n! x^n}{4^n}$ 의 수렴구간

29) $\displaystyle\sum_{n=1}^{\infty}\frac{n!(x+3)^n}{10^n}$ 의 수렴구간

30) $\displaystyle\sum_{n=1}^{\infty}\frac{n!x^n}{n^n}$ 의 수렴반경은?

31) $\displaystyle\sum_{n=2020}^{\infty}\frac{n!(x+1)^{2n}}{(2n+1)!}$ 의 수렴반경은?

32) 급수 $\displaystyle\sum_{n=1}^{\infty}(-1)^{n+1}\frac{x^n}{n}$ 이 수렴하는 x의 구간을 구하시오.

33) 멱급수 $\displaystyle\sum_{n=1}^{\infty}\frac{n}{3^n(n^2+1)}(2x+1)^n$ 의 수렴 반경과 구간을 구하여라.

34) 다음 급수의 수렴반경을 구하시오.

(1) $\displaystyle\sum_{n=1}^{\infty} \frac{x^n}{3+n}$

(2) $\displaystyle\sum_{m=0}^{\infty} \frac{x^m}{k^m} \,(k>0)$

(3) $\displaystyle\sum_{n=1}^{\infty} \frac{(-1)^n}{2^n n}(x+1)^n$

(4) $\displaystyle\sum_{n=0}^{\infty} \frac{n(x+2)^n}{3^{n+1}}$

(5) $\displaystyle\sum_{n=1}^{\infty} \frac{n^n}{n!}x^n$

(6) $\displaystyle\sum_{n=1}^{\infty} \frac{n!}{n^n}x^n$

$*\displaystyle\sum_{n=1}^{\infty} \frac{n^n}{\blacktriangle\, n!} : \begin{cases} \blacktriangle > e^n : 수렴 \\ \blacktriangle < e^n : 발산 \end{cases}$

(7) $\displaystyle\sum_{n=1}^{\infty} \frac{(3n)!}{n!(n+1)!(n+2)!}x^n$

(8) $\sum_{n=1}^{\infty} \dfrac{(-1)^n (x^2-1)^n}{n^2 3^n}$

(9) $\sum_{n=1}^{\infty} a_n x^n, \ a_n = \left(1 + \dfrac{1}{n}\right)^n$

(10) $\sum_{n=1}^{\infty} \dfrac{(n!)^2}{(2n)! + n!} x^n$

(11) $\sum_{n=0}^{\infty} (\arctan n)^n x^n$

35) 다음 급수의 수렴집합을 구하시오.

(1) $\sum_{n=0}^{\infty} (-1)^{n+1} \dfrac{n}{2^{n+1}} x^n$

Ans. $(-2, 2)$

(2) $\displaystyle\sum_{n=1}^{\infty} \frac{(x-1)^n}{n3^{n-1}}$

Ans. $[-2, 4)$

(3) $\displaystyle\sum_{k=0}^{\infty} \frac{3^k}{k!} x^k$

Ans. 모든 실수

(4) $\displaystyle\sum_{n=2}^{\infty} \frac{-2}{(n-1)!} x^n$

Ans. 모든실수

36) 다음 무한급수의 수렴반경을 구하시오.

(1) $\displaystyle\sum_{m=0}^{\infty} \frac{(3m)!}{(m!)^3} x^m$

(2) $\displaystyle\sum_{n=1}^{\infty} \frac{n!n!}{(2n)!} x^n$

(3) $\displaystyle\sum_{k=0}^{\infty} \frac{(pk)!}{(k!)^p} x^k$

37) 다음 무한급수의 수렴/발산을 체크하시오.

(1) $\displaystyle\sum_{k=1}^{\infty} \frac{(k!)^2}{(2k)!}$

(2) $\displaystyle\sum_{n=1}^{\infty} \frac{(2n)!}{n!n!}$

(3) $\displaystyle\sum_{n=1}^{\infty} \frac{n-1}{n4^n}$

(4) $\displaystyle\sum_{k=2}^{\infty} \frac{\ln k}{\sqrt{k}\, e^k}$

(5) $\displaystyle\sum_{n=1}^{\infty} 5^{2n}/(n^2 9^n)$

10이대

38) $\displaystyle\sum_{n=1}^{\infty} a_n = 7$ 이고, $b_n = \dfrac{1}{3} a_n$ 일 때, $S_n = b_1 + b_2 + \cdots b_n$ 이면 다음 중 옳은 것은?

① $\displaystyle\lim_{n \to \infty} b_n = \dfrac{7}{3},\ \lim_{n \to \infty} S_n = 0$

② $\displaystyle\lim_{n \to \infty} b_n = 0,\ \lim_{n \to \infty} S_n = 0$

③ $\displaystyle\lim_{n \to \infty} b_n = 0,\ \lim_{n \to \infty} S_n = \dfrac{7}{3}$

④ $\displaystyle\lim_{n \to \infty} b_n = \dfrac{7}{3},\ \lim_{n \to \infty} S_n = \dfrac{7}{3}$

Ans. ③

39) 멱급수 $\displaystyle\sum_{n=0}^{\infty} \dfrac{x^n}{2^n + 6^n}$ 의 수렴반경은?

Ans. 6

40) 멱급수 $\displaystyle\sum_{n=1}^{\infty} \dfrac{(n!)^2}{(2n)! + n!} x^n$ 의 수렴반경은?

① 1   ② $\sqrt{2}$ ③ 2   ④ $2\sqrt{2}$ ⑤ 4

Ans. ⑤

41) 다음 <보기>에서 절대수렴하는 무한급수들을 모두 고른것은?

가. $\displaystyle\sum_{n=1}^{\infty} \frac{(-10)^n}{n!}$

나. $\displaystyle\sum_{n=1}^{\infty} \frac{(-1)^{n+1}}{n^{\frac{1}{4}}}$

다. $\displaystyle\sum_{n=1}^{\infty} \frac{n^n}{3^{3n+1}}$

라. $\displaystyle\sum_{n=1}^{\infty} \frac{n(-3)^n}{4^{n-1}}$

① 가, 나　　② 다, 라　　③ 가, 라　　④ 가, 다, 라

Ans. ③

42) 무한급수 $\displaystyle\sum_{n=0}^{\infty} n^{\tan\theta}$ 가 수렴하기 위한 θ의 값으로 옳은 것은?

① $\frac{2\pi}{3}$　　② $\frac{3\pi}{4}$　　③ $\frac{5\pi}{6}$　　④ π

Ans. ①

14성대

43) 멱급수 $\displaystyle\sum_{n=1}^{\infty} \frac{2\cdot 5\cdot\cdots\cdot(3n-1)}{3\cdot 7\cdot\cdots\cdot(4n-1)}(x+1)^n$ 의 수렴반경은?

① $\frac{4}{3}$　　② $\frac{3}{4}$　　③ $\frac{3}{2}$　　④ $\frac{1}{2}$　　⑤ $\frac{2}{3}$

Ans. ①

14에리카

44) 멱급수 $\displaystyle\sum_{n=0}^{\infty} \frac{n!(2n)!}{(3n)!}(1-2x)^n$이 수렴하는 모든 정수 x의 합은?

Ans. 3

17국민

45) 다음중 옳은 것을 모두 고르면?

ㄱ. $a_n = \begin{cases} \dfrac{n}{2^n} & ,n:\text{홀수} \\ \dfrac{1}{2^n} & ,n:\text{짝수} \end{cases}$ 일 때, $\displaystyle\sum_{n=1}^{\infty} a_n$은 발산한다.

ㄴ. $\displaystyle\sum_{n=1}^{\infty} \left(\frac{1}{1+n}\right)^n$ 은 수렴한다.

ㄷ. $\displaystyle\sum_{n=1}^{\infty} \frac{4^n n! n!}{(2n)!}$ 은 발산한다.

ㄹ. $\displaystyle\sum_{n=2}^{\infty} \frac{1+n\ln n}{n^2+5}$ 은 수렴한다.

① ㄱ, ㄹ   ② ㄴ, ㄷ   ③ ㄱ, ㄴ, ㄷ   ④ ㄴ, ㄷ, ㄹ

Ans. ②

17홍대

46) 다음 무한급수 또는 이상적분이 수렴하는 양수 p의 범위가 다른 것을 고르시오.

① $\displaystyle\sum_{n=1}^{\infty}\left(\frac{2-p}{p}\right)^n$ ② $\displaystyle\int_0^1 \frac{1}{x^p}dx$ ③ $\displaystyle\int_2^{\infty}\frac{1}{x(\ln x)^p}dx$ ④ $\displaystyle\sum_{n=1}^{\infty}\frac{1}{(n+1)^p}$

Ans. ②

17과기

47) 제곱급수 $\displaystyle\sum_{n=1}^{\infty}\frac{(-1)^n(x+2)^n}{5^n n^{1/3}}$ 의 수렴반지름이 R이고 수렴구간이 (a, b] 일 때, R+a+b 의 값은?

① 1

② 5

③ 9

④ 10

Ans. ①

18과기

48) 다음 중 수렴하는 급수의 개수는?

ㄱ. $\displaystyle\sum_{n=2}^{\infty}\sin\left(\frac{1}{2^n}\right)\cos\left(\frac{3}{2^n}\right)$	ㄴ. $\displaystyle\sum_{n=1}^{\infty}\sin\frac{1}{n}$	ㄷ. $\displaystyle\sum_{n=1}^{\infty}\frac{1}{n\ln n}$
ㄹ. $\displaystyle\sum_{n=1}^{\infty}\frac{2^n n!}{n^n}$	ㅁ. $\displaystyle\sum_{n=1}^{\infty}\frac{e^{-\sqrt{n}}}{\sqrt{n}}$	

① 1   ② 2   ③ 3   ④ 4

Ans. ③

18중대

49) 다음 <보기> 중 수렴하는 급수의 개수는?

$$
\text{(가)} \sum_{n=1}^{\infty} \sin^3\left(\frac{1}{n}\right) \qquad \text{(나)} \sum_{n=1}^{\infty} \sqrt{n \arctan\left(\frac{1}{n^4}\right)} \qquad \text{(다)} \sum_{n=1}^{\infty} \left(n^{\frac{1}{n}} - 1\right)^n
$$

$$
\text{(라)} \sum_{n=10}^{\infty} (-1)^{n-1} \frac{1}{\ln n} \qquad \text{(마)} \frac{1}{2} + \frac{1}{3} + \frac{1}{2^2} + \frac{1}{3^2} + \frac{1}{2^3} + \frac{1}{3^3} + \dots \qquad \text{(바)} \sum_{n=1}^{\infty} \tan\left(\frac{1}{n^3}\right)
$$

① 3개   ② 4개   ③ 5개   ④ 6개

$Ans.$ ④

18국민

50) 다음 급수 중 수렴반경이 가장 큰 것은?

① $\displaystyle\sum_{n=1}^{\infty} n^{2018} x^n$ ② $\displaystyle\sum_{n=1}^{\infty} \left(1 + \frac{1}{2} + \dots + \frac{1}{n}\right) x^n$

③ $\displaystyle\sum_{n=1}^{\infty} \frac{n!(n+1)!}{(2n)!} x^n$ ④ $\displaystyle\sum_{n=2}^{\infty} \frac{1}{(\ln n)^{2018}} x^n$

$Ans.$ ③

19가천

51) 멱급수 $\sum\limits_{n=1}^{\infty} a_n x^n$은 $x=-2$일 때 수렴하고 $x=3$일 때 발산한다.
다음 보기의 급수 중 수렴하는 급수의 개수는?

ㄱ. $\sum\limits_{n=1}^{\infty} a_n$ ㄴ. $\sum\limits_{n=1}^{\infty} |a_n|$ ㄷ. $\sum\limits_{n=1}^{\infty} (-4)^n a_n$ ㄹ. $\sum\limits_{n=1}^{\infty} n a_n$

① 1 ② 2 ③ 3 ④ 4

Ans. ③

19광운

52) 점화식 $a_1 = 6, a_{n+1} = \dfrac{1}{a_n - 3} + 3$으로 정의된 수열 $\{a_n\}$의 극한값은?

① 1 ② 2 ③ 3 ④ 4 ⑤ 없다.

Ans. ⑤

18에리카

53) 멱급수 $x + \dfrac{1}{2}\dfrac{x^3}{3} + \dfrac{1}{2}\dfrac{3}{4}\dfrac{x^5}{5} + \dfrac{1}{2}\dfrac{3}{4}\dfrac{5}{6}\dfrac{x^7}{7} + \cdots$ 의 수렴반경은?

① $\dfrac{1}{2}$ ② 1 ③ $\dfrac{3}{2}$ ④ 2

*Ans.*②

18세종

54) $f(x) = \dfrac{8}{(2+x)(2-3x)}$ 의 맥클로린 급수의 수렴반지름은?

① $\dfrac{1}{3}$ ② $\dfrac{2}{3}$ ③ 1 ④ $\dfrac{4}{3}$ ⑤ $\dfrac{5}{3}$

*Ans.*②

19홍대

55) 다음 중 참인 명제만 고른 것은?

> ㉠ 급수 $\displaystyle\sum_{n=1}^{\infty} \frac{\ln n}{n^2}$ 은 발산한다.
>
> ㉡ 급수 $\displaystyle\sum_{n=0}^{\infty} n!x^n$ 의 수렴반지름을 R 이라 할 때, $R=0$ 이다.
>
> ㉢ 함수 $f(x)=\ln x$ 의 $x=2$ 에서 테일러급수의 수렴반지름을 R 이라 할 때, $R=2$ 이다.

① ㉡   ② ㉡, ㉢   ③ ㉠, ㉡   ④ ㉠, ㉡, ㉢

Ans. ②

19광운

56) 함수 $f(x)=\ln x$ 의 $x=3$ 에서의 테일러 급수는 $\displaystyle\sum_{n=0}^{\infty} a_n (x-3)^n$ 으로 주어지고 이

급수는 $3-R < x \le 3+R$ 에서 수렴한다. 이 때 $(a_1 + a_2)R$ 의 값은?

① $\dfrac{5}{6}$ ② $\dfrac{2}{3}$ ③ $\dfrac{1}{2}$ ④ $\dfrac{1}{3}$ ⑤ $\dfrac{1}{6}$

Ans. ①

19명지

57) <보기>에서 절대수렴하는 급수의 개수를 a, 조건부수렴하는 급수의 개수를 b, 발산하는 급수의 개수를 c라 할 때, $a+b-c$의 값은?

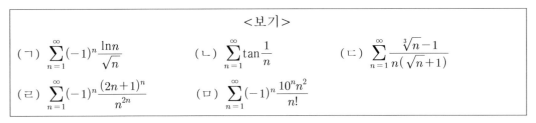

<보기>

(ㄱ) $\displaystyle\sum_{n=1}^{\infty}(-1)^n\frac{\ln n}{\sqrt{n}}$ (ㄴ) $\displaystyle\sum_{n=1}^{\infty}\tan\frac{1}{n}$ (ㄷ) $\displaystyle\sum_{n=1}^{\infty}\frac{\sqrt[3]{n}-1}{n(\sqrt{n}+1)}$

(ㄹ) $\displaystyle\sum_{n=1}^{\infty}(-1)^n\frac{(2n+1)^n}{n^{2n}}$ (ㅁ) $\displaystyle\sum_{n=1}^{\infty}(-1)^n\frac{10^n n^2}{n!}$

① 1   ② 2   ③ 3   ④ 4   ⑤ 5

Ans. ③

19세종

58) 거듭제곱급수 $\displaystyle\sum_{n=0}^{\infty}\left(\frac{1}{2}\right)^{\sqrt{n}}x^n$의 수렴반지름은?

① $\dfrac{1}{2}$ ② $\dfrac{\sqrt{2}}{2}$ ③ 1   ④ $\sqrt{2}$ ⑤ 2

Ans. ③

19숙대

59) 멱급수 $\displaystyle\sum_{n=1}^{\infty}\frac{(x-5)^n}{n2^n}$ 이 절대수렴하는 x의 범위가 a < x < b 일 때, a+b의 값을 구하시오.

① 8

② 9

③ 10

④ 11

⑤ 12

Ans. ③

19아주

60) 다음 중 무한급수 $\displaystyle\sum_{n=1}^{\infty}\frac{(-1)^{nq}}{n^p(\ln(n+2019))^{q/2}}$ 가 발산하는 경우는?

① $p=3, q=1$　　　　　　　② $p=2, q=2019$　　　　　　③ $p=1, q=1$

④ $p=1, q=2$　　　　　　　⑤ $p=1, q=4$

Ans. ④

19아주

61) <보기>의 내용 중 옳은 것은 모두 몇 개인가?

ㄱ. $\pi-\dfrac{\pi^3}{3!}+\dfrac{\pi^5}{5!}-\dfrac{\pi^7}{7!}+\cdots$은 0으로 수렴한다.

ㄴ. $\displaystyle\int_0^4\frac{2x}{x^2-1}dx=\ln15$

ㄷ. 무한급수 $S=\displaystyle\sum_{n=1}^{\infty}(-1)^{n+1}\frac{1}{n}$의 2019번째 부분합 S_{2019}는 S보다 크다.

ㄹ. $\displaystyle\sum_{n=1}^{\infty}(-1)^n\sin^3\left(\frac{1}{\sqrt{n}}\right)$은 절대 수렴한다.

---

① 0개　　　　　② 1개　　　　　③ 2개　　　　　④ 3개　　　　　⑤ 4개

Ans. ④

62) 다음 중 옳은 것은?

① $\sum_{n=1}^{\infty} \frac{(2n)!}{n!n!}$ 은 수렴하고 $\sum_{n=1}^{\infty} \frac{n!n!}{(2n)!}$ 은 발산한다.

② $\sum_{n=1}^{\infty} \frac{(2n)!}{n!n!}$ 은 발산하고 $\sum_{n=1}^{\infty} \frac{n!n!}{(2n)!}$ 은 수렴한다.

③ $\sum_{n=1}^{\infty} \frac{(2n)!}{n!n!}$ 과 $\sum_{n=1}^{\infty} \frac{n!n!}{(2n)!}$ 은 수렴한다.

④ $\sum_{n=1}^{\infty} \frac{(2n)!}{n!n!}$ 과 $\sum_{n=1}^{\infty} \frac{n!n!}{(2n)!}$ 은 발산한다.

Ans. ②

18이대

63) 다음 멱급수의 수렴반경을 각각 A,B,C라 할 때, 곱 ABC를 구하시오.

a. $\sum_{n=1}^{\infty} \frac{n!}{n^n} x^n$ b. $\sum_{n=1}^{\infty} 4^n \ln n (x-e)^{2n}$ c. $\sum_{n=1}^{\infty} \frac{n!n^n}{(2n)!} x^n$

① e^{-1} ② 1   ③ 2   ④ e ⑤ 4

Ans. ③

18이대

64) 다음의 급수 중 수렴하는 것을 모두 고르시오.

a. $\sum_{n=1}^{\infty} (-1)^n \ln\left(1 + \sinh\frac{1}{n}\right)$ b. $\sum_{n=1}^{\infty} \frac{n!e^{2n}}{n^n}$ c. $\sum_{n=2}^{\infty} \frac{\arctan\frac{1}{n}}{\ln n}$ d. $\sum_{n=1}^{\infty} \tan^2\left(\frac{4\pi}{n}\right)$

① a, b, c, d ② a, b, c ③ a, b, d ④ a,d ⑤ b,c,d

Ans. ④

19이대

65) 다음의 급수들 중 수렴하는 것을 모두 고르시오.

$$a.\ \sum_{n=2}^{\infty}\frac{1}{n(\ln(n))^n} \qquad b.\ \sum_{n=2}^{\infty}\frac{(-1)^n}{\ln(n)} \qquad c.\ \sum_{n=2}^{\infty}\frac{1}{n(1+(\ln(n))^2)} \qquad d.\ \sum_{n=6}^{\infty}\frac{1}{n^2-6n+5}$$

① b, c　　　　　　② a, b, d　　　　　　③　a, b, c

④ a, c, d　　　　　⑤　a, b, c, d

Ans. ⑤

19이대

66) 다음과 같이 정의된 수열 x_n의 극한값 $\lim\limits_{n\to\infty} x_n$을 구하시오.

$$x_{n+1}=x_n+\frac{x_n-x_n^3}{3x_n^2-1},\ (n=0,1,2,\cdots),\ x_0=\frac{\sqrt{5}}{5}$$

① -1　　　　② 0　　　　③ 1　　　　④ 존재하지 않는다.　　　　⑤ $\sqrt{3}$

Ans. ④

10한양

67) 무한급수 $\dfrac{1}{1^2}+\dfrac{1}{2^2}+\dfrac{1}{3^2}+\cdots+\dfrac{1}{n^2}$ 의 값이 X일 때, $\dfrac{1}{1^2}+\dfrac{1}{3^2}+\dfrac{1}{5^2}+\cdots+\dfrac{1}{(2n-1)^2}$ 의 값은?

① $\dfrac{X}{2}$ ② $\dfrac{3}{4}X$ ③ $\dfrac{\sqrt{X(X+1)}}{2}$ ④ $\sqrt{X(X-1)}$

Ans. ②

15광운

68) 무한급수 $\displaystyle\sum_{n=2}^{\infty}\ln\dfrac{(n-1)(n+1)}{n^2}$ 의 합은?

① $2\ln\dfrac{1}{2}$ ② $\ln\dfrac{1}{2}$ ③ $2\ln 2$ ④ $\sqrt{e}$ ⑤ 발산한다.

Ans. ②

18광운

46. 급수 $\displaystyle\sum_{n=1}^{\infty} \frac{2}{n(n+1)(n+2)}$ 의 값은?

① $\dfrac{1}{4}$ ② $\dfrac{1}{2}$ ③ $\dfrac{3}{4}$ ④ 1 ⑤ $\dfrac{5}{4}$

Ans. ②

13세종

47. 무한급수 $\displaystyle\sum_{n=1}^{\infty} \frac{1}{n(n+1)2^n}$ 의 값을 구하면?

① $\dfrac{1}{2} - \dfrac{\ln 2}{2}$ ② $\dfrac{1}{2} - \dfrac{\ln 2}{4}$ ③ $1 - \ln 2$ ④ $1 - \dfrac{\ln 2}{2}$

Ans. ③

무한급수 명제문제

[15국민] [13이화] [13경기] [12숭실] [09홍익]

1. $\displaystyle\sum_{n=1}^{\infty} a_n$ 이 수렴하면 $\displaystyle\lim_{n\to\infty} a_n = 0$ 이다. (O)

2. $\displaystyle\sum_{n=1}^{\infty} a_n$ 이 발산하면 $\displaystyle\lim_{n\to\infty} a_n \neq 0$ 이다. (X)

[13이화] ,[12국민], [11서강], [11홍익], [10인하]

3. $\displaystyle\lim_{n\to\infty} a_n = 0$ 이 성립하면 급수 $\displaystyle\sum_{n=1}^{\infty} a_n$ 이 수렴한다. (X)

4. $\displaystyle\sum_{n=1}^{\infty} (-1)^n a_n$ 에서 $\displaystyle\lim_{n\to\infty} a_n = 0$ 이 성립하면 $\displaystyle\sum_{n=1}^{\infty} (-1)^n a_n$ 이 수렴한다. (단, $a_n > 0$) . (O)

[12중앙]

5. $\displaystyle\sum_{n=1}^{\infty} |a_n|$ 이 수렴할 필요충분조건은 $|a_1| > |a_2| > \cdots$ 이고, $\displaystyle\lim_{n\to\infty} |a_n| = 0$. (X) 이다.

[12중앙]

6. $\sum\limits_{n=1}^{\infty} |a_n|$ 이 수렴할 필요충분조건은 '모든 n 에 대하여 $\sum\limits_{k=1}^{n} |a_k| \leq M$ 인

양수 M 이 존재한다. '이다.   (O)

[16광운] [12숭실] [11홍익] [10인하]

7. $\sum\limits_{n=0}^{\infty} |a_n|$ 이 수렴할 때 $\sum\limits_{n=0}^{\infty} a_n$ 도 수렴이다.   (O)

[11서강]

8. $\sum\limits_{n=1}^{\infty} a_n$ 이 발산하면 급수 $\sum\limits_{n=1}^{\infty} |a_n|$ 도 발산한다.   (O)

[13경기][16아주]

9. $\sum\limits_{n=0}^{\infty} a_n$ 이 수렴하면 $\sum\limits_{n=0}^{\infty} |a_n|$ 도 수렴한다.   (X)

[16아주]

10. $\sum\limits_{n=1}^{\infty} |a_n|$ 이 발산하면 $\sum\limits_{n=1}^{\infty} a_n$ 도 발산한다.   (X)

[11홍익]

11. $\displaystyle\sum_{n=1}^{\infty}(-1)^n a_n$ 도 수렴하면 $\displaystyle\sum_{n=1}^{\infty}a_n$ 이 수렴이다. (X)

[15광운]

12. $\displaystyle\sum_{n=1}^{\infty}a_n$ 이 수렴하면 $\displaystyle\sum_{n=1}^{\infty}(-1)^n a_n$ 도 수렴한다. (X)

[13중앙]

13. $a_n > 0$ 일 때, $\displaystyle\sum_{n=1}^{\infty}a_n$ 이 수렴하면 $\displaystyle\sum_{n=1}^{\infty}(-1)^n a_n$ 도 수렴한다. (O)

[14숭실][13인하]

14. $\displaystyle\sum_{n=1}^{\infty}|a_n|$ 이 수렴하면 $\displaystyle\sum_{n=1}^{\infty}(-1)^n a_n$ 도 수렴한다. (O)

[13인하]

15. $\displaystyle\sum_{n=0}^{\infty}|a_n|$ 이 수렴할 때 $\displaystyle\sum_{n=0}^{\infty}\sin(a_n)$ 수렴이다. (O)

[16숭실]

16. $\displaystyle\sum_{n=1}^{\infty}|a_n|$이 수렴하면 $\displaystyle\sum_{n=1}^{\infty}\sin(|a_n|)$도 수렴이다.　(O)

[16건국]

17. $\displaystyle\sum_{n=1}^{\infty}a_n$이 절대수렴하면 급수 $\displaystyle\sum_{n=1}^{\infty}a_n\sin n$은 수렴한다.　(O)

[10이대]

18. 급수 $\displaystyle\sum_{n=1}^{\infty}(-1)^n\frac{\tan^{-1}n}{2+n^2}$ 은 조건부 수렴한다. (X)

[16광운]

19. 교대급수는 절대수렴하지 않는다.　(X)

20. $\displaystyle\sum_{n=1}^{\infty}a_n$ 과 $\displaystyle\sum_{n=1}^{\infty}b_n$이 수렴하면 $\displaystyle\sum_{n=1}^{\infty}a_n\pm b_n$도 수렴한다. (O)

[16숭실]

21. $\sum\limits_{n=1}^{\infty} |a_n|$ 과 $\sum\limits_{n=1}^{\infty} b_n$ 이 모두 수렴할 때 $\sum\limits_{n=1}^{\infty} a_n + b_n$ 도 수렴한다. (O)

[15국민]

22. $\sum\limits_{n=1}^{\infty} a_n$ 과 $\sum\limits_{n=1}^{\infty} b_n$ 이 발산하면 $\sum\limits_{n=1}^{\infty} (a_n + b_n)$ 도 발산한다. (X)

[13이화]

23. $\sum\limits_{n=1}^{\infty} (a_n + b_n) = \sum\limits_{n=1}^{\infty} a_n + \sum\limits_{n=1}^{\infty} b_n$ 이 성립한다. (X)

[16광운] [16건국] [15광운] [14숭실] [13경기]

24. $\sum\limits_{n=1}^{\infty} a_n$ 과 $\sum\limits_{n=1}^{\infty} b_n$ 이 수렴하면 $\sum\limits_{n=1}^{\infty} a_n b_n$ 도 수렴한다. (X)

[21이대]

25. $\displaystyle\sum_{n=1}^{\infty} x_n$이 수렴하면 $\displaystyle\sum_{n=1}^{\infty} x_{2n}$도 수렴한다.

[21이대]

26. $\displaystyle\sum_{n=1}^{\infty} x_n$과 $\displaystyle\sum_{n=1}^{\infty} y_n$이 각각 수렴하면 $\displaystyle\sum_{n=1}^{\infty} x_n y_n$도 수렴한다.

[21이대]

27. $\displaystyle\sum_{n=1}^{\infty} |x_n|$이 수렴하면 $\displaystyle\sum_{n=1}^{\infty} x_n^2$도 수렴한다.

[21이대]

28. $\displaystyle\sum_{n=1}^{\infty} x_n^2$이 수렴하면 $\displaystyle\sum_{n=1}^{\infty} \left|\frac{x_n}{n}\right|$도 수렴한다.

[12숭실]

29. $\displaystyle\sum_{n=1}^{\infty} a_n$이 수렴하면 $\displaystyle\sum_{n=1}^{\infty} a_n^2$도 수렴한다. (X)

[16아주] [21아주]

30. $\displaystyle\sum_{n=1}^{\infty} a_n$ 이 수렴하면 $\displaystyle\sum_{n=1}^{\infty} \frac{(-1)^n}{\sqrt{n}} a_n$ 도 수렴한다. (X)

[21아주(오후)]

31. 무한급수 $\displaystyle\sum_{n=1}^{\infty} a_n$ 이 수렴하면, $\displaystyle\sum_{n=1}^{\infty} (-1)^n a_n$ 은 수렴한다.

[16아주]

32. $\displaystyle\sum_{n=1}^{\infty} a_n^2$ 이 수렴하면 $\displaystyle\sum_{n=1}^{\infty} a_n$ 도 수렴한다. (X)

[13중앙]

33. $a_n > 0,\, b_n > 0$ 일 때 $\displaystyle\sum_{n=1}^{\infty} a_n$ 과 $\displaystyle\sum_{n=1}^{\infty} b_n$ 이 수렴하면 $\displaystyle\sum_{n=1}^{\infty} a_n b_n$ 도 수렴한다. (O)

[13중앙]

34. $a_n > 0$일 때, $\displaystyle\sum_{n=1}^{\infty} a_n$ 이 수렴하면 $\displaystyle\sum_{n=1}^{\infty} a_n^2$ 도 수렴한다.

[16숭실] [16아주]

35. $\displaystyle\sum_{n=1}^{\infty} |a_n|$ 수렴할 때 $\displaystyle\sum_{n=1}^{\infty} a_n^2$ 도 수렴한다. (O)

[16숭실]

36. 급수 $\displaystyle\sum_{n=1}^{\infty} |a_n|$ 과 $\displaystyle\sum_{n=1}^{\infty} b_n$ 이 모두 수렴할 때 $\displaystyle\sum_{n=1}^{\infty} |a_n| b_n$ 이 수렴한다. (O)

[13경기]

37. $\displaystyle\sum_{n=0}^{\infty} a_n$ 과 $\displaystyle\sum_{n=0}^{\infty} b_n$ 이 발산하면 $\displaystyle\sum_{n=0}^{\infty} a_n b_n$ 도 발산한다. (X)

38. $a_n > 0$이고, $\displaystyle\sum_{n=1}^{\infty} a_n$ 이 수렴할 때 $\displaystyle\sum_{n=1}^{\infty} \sqrt{a_n a_{n+1}}$ 수렴이다. (O)

[09중앙]

39. $a_n > 0, b_n > 0$일 때 $\sum\limits_{n=1}^{\infty} a_n$ 과 $\sum\limits_{n=1}^{\infty} b_n$ 이 수렴하면 $\sum\limits_{n=1}^{\infty} a_n b_n$도 수렴한다. (O)

[15국민]

40. $\sum\limits_{n=1}^{\infty} (a_n)^2$과 $\sum\limits_{n=1}^{\infty} (b_n)^2$이 수렴하면 $\sum\limits_{n=1}^{\infty} a_n b_n$은 수렴한다. (O)

[10인하]

41. $\sum\limits_{n=1}^{\infty} a_n$ 과 $\sum\limits_{n=1}^{\infty} b_n$ 모두 수렴하면 $\sum\limits_{n=1}^{\infty} \dfrac{a_n}{b_n}$도 수렴한다. (단, $b_n \neq 0$) (X)

42. $a_n > 0, b_n > 0$일 때 $\sum\limits_{n=1}^{\infty} a_n$ 과 $\sum\limits_{n=1}^{\infty} b_n$ 모두 수렴하면 $\sum\limits_{n=1}^{\infty} \dfrac{a_n}{b_n}$도 수렴한다. (X)

[13아주]

43. 모든 n에 대해 $0 \le a_n \le b_n$ 이고 $\sum\limits_{n=1}^{\infty} b_n$ 이 수렴하면 $\sum\limits_{n=1}^{\infty} a_n$ 은 수렴한다. (O)

[13아주]

44. 모든 n에 대해 $0 \le b_n \le a_n$ 이고 $\displaystyle\sum_{n=1}^{\infty} b_n$ 이 발산하면 $\displaystyle\sum_{n=1}^{\infty} a_n$ 은 수렴한다. (X)

[13아주]

45. 모든 n에 대해 $a_n \le b_n$ 이고 $\displaystyle\sum_{n=1}^{\infty} b_n$ 이 수렴하면 $\displaystyle\sum_{n=1}^{\infty} a_n$ 은 수렴한다. (X)

[13아주]

46. 모든 n에 대해 $b_n \le a_n$ 이고 $\displaystyle\sum_{n=1}^{\infty} b_n$ 이 수렴하면 $\displaystyle\sum_{n=1}^{\infty} a_n$ 은 수렴한다. (X)

[13아주]

47. 모든 n에 대해 $a_n \le b_n$ 이고 $\displaystyle\sum_{n=1}^{\infty} b_n$ 이 발산하면 $\displaystyle\sum_{n=1}^{\infty} a_n$ 은 발산한다. (X)

[15광운]

48. $\displaystyle\lim_{n\to\infty} \left| \frac{a_{n+1}}{a_n} \right| < 1$ 이면 $\displaystyle\sum_{n=1}^{\infty} a_n$ 이 수렴한다. (O)

49. $\displaystyle\sum_{n=1}^{\infty} a_n$ 이 수렴하면 $\displaystyle\lim_{n\to\infty} \left| \frac{a_{n+1}}{a_n} \right| < 1$ 이다. (X)

[12중앙]

50. $\sum_{n=1}^{\infty} |a_n|$ 이 수렴할 필요충분조건은 $\lim_{n \to \infty} \left| \dfrac{a_{n+1}}{a_n} \right| = p < 1$ 이다. (X)

[12숭실]

51. $\lim_{n \to \infty} |a_n|^{\frac{1}{n}} = \dfrac{1}{2}$ 이면 $\sum_{n=1}^{\infty} a_n$ 은 수렴한다. (O)

[16건국]

52. $\sum_{n=1}^{\infty} a_n$ 이 수렴하면 $\lim_{n \to \infty} \sqrt[n]{|a_n|} < 1$ 이다. (X)

[12중앙]

53. $\sum_{n=1}^{\infty} |a_n|$ 이 수렴할 필요충분조건은 $\lim_{n \to \infty} \sqrt[n]{|a_n|} = r < 1$ 이다. (X)

[09중앙]

54. $a_n > 1$ 이고, $\sum_{n=1}^{\infty} a_n$ 이 수렴할 때 $\sum_{n=1}^{\infty} \left(\dfrac{1 + \sin(a_n)}{2} \right)^n$ 수렴이다. (O)

55. $a_n > 0, b_n > 0$일 때 $\displaystyle\sum_{n=1}^{\infty} a_n$ 과 $\displaystyle\sum_{n=1}^{\infty} b_n$ 에 대하여 $\displaystyle\lim_{n\to\infty}\frac{a_n}{b_n} = L > 0$

으로 수렴할 때, $\displaystyle\sum_{n=1}^{\infty} a_n$ 과 $\displaystyle\sum_{n=1}^{\infty} b_n$ 은 수렴과 발산을 같이 한다.

(O)

[09중앙]

56. $a_n > 0$ 이고, $\displaystyle\sum_{n=1}^{\infty} a_n$ 이 수렴할 때 $\displaystyle\sum_{n=1}^{\infty} \ln(1+a_n)$ 수렴이다.

(O)

57. $a_n > 0, b_n > 0$ 급수 $\displaystyle\sum_{n=1}^{\infty} a_n$ 과 $\displaystyle\sum_{n=1}^{\infty} b_n$ 에 대하여 $\displaystyle\lim_{n\to\infty}\frac{a_n}{b_n} = 0$ 이고

$\displaystyle\sum_{n=1}^{\infty} b_n$ 은 수렴이면 $\displaystyle\sum_{n=1}^{\infty} a_n$ 도 수렴한다.

(O)

[15항공]

58. $a_n > 0, b_n > 0$ 일 때 $\displaystyle\sum_{n=1}^{\infty} a_n$ 과 $\displaystyle\sum_{n=1}^{\infty} b_n$ 에 대하여 $\displaystyle\lim_{n\to\infty}\frac{a_n}{b_n} = 0$ 이고

$\displaystyle\sum_{n=1}^{\infty} b_n$ 은 발산이면 $\displaystyle\sum_{n=1}^{\infty} a_n$ 도 발산한다.

(X)

59. $\displaystyle\sum_{n=1}^{\infty} a_n$이 수렴하면 그 임의의 재배열 급수도 같은 값으로 수렴한다.(×)

[13중앙]

60. $a_n > 0, b_n > 0$일 때 $\displaystyle\sum_{n=1}^{\infty} a_n$과 $\displaystyle\sum_{n=1}^{\infty} b_n$에 대하여 $\displaystyle\lim_{n\to\infty}\frac{a_n}{b_n} = 0$이고

$\displaystyle\sum_{n=1}^{\infty} a_n$은 수렴이면 $\displaystyle\sum_{n=1}^{\infty} b_n$도 수렴한다.

(X)

[15광운]

61. 멱급수 $\displaystyle\sum_{n=1}^{\infty} a_n x^n$이 $x=2$에서 수렴하면 $x=-1$에서도 수렴한다.

[15항공]

62. 급수 $\displaystyle\sum_{n=1}^{\infty} c_n 3^n$이 수렴하면 $\displaystyle\sum_{n=1}^{\infty} c_n (-3)^n$도 수렴한다.
(단, $n = 1,2,3,\cdots$ 에 대하여 c_n은 실수이다.)

(X)

[11서강]

63. 급수 $\displaystyle\sum_{n=1}^{\infty} c_n 6^n$ 이 수렴하면 급수 $\displaystyle\sum_{n=1}^{\infty} c_n (-2)^n$ 도 수렴한다. (O)

[11홍익]

64. 급수 $\displaystyle\sum_{n=1}^{\infty} a_n x^n$ 의 수렴반경이 1이면 $\displaystyle\sum_{n=1}^{\infty} a_n$ 이 수렴한다. (X)

[21아주]

65. 멱급수 $\displaystyle\sum_{n=0}^{\infty} a_n x^n$ 의 수렴 반경이 2이상이면,

무한급수 $\displaystyle\sum_{n=0}^{\infty} (-2)^n a_n$ 은 수렴한다.

[21아주]

66. 무한급수 $\displaystyle\sum_{n=0}^{\infty} (-2)^n a_n$ 이 수렴하면, 멱급수 $\displaystyle\sum_{n=0}^{\infty} a_n x^n$ 의

수렴 반경은 2 이하이다.

[21아주]

67. 무한급수 $\displaystyle\sum_{n=1}^{\infty} a_n$ 이 조건부 수렴하면 (conditionally convergent) $\displaystyle\sum_{n=1}^{\infty} n\sqrt{n}\, a_n$ 은 발산한다.

[21아주]

68. 무한급수 $\sum_{n=1}^{\infty}(-1)^n a_n$ 이 발산하면 $\sum_{n=1}^{\infty}a_n$ 은 발산한다.

[21아주]

69. 무한급수 $\sum_{n=0}^{\infty}(-2)^n a_n$ 이 수렴하면 멱급수 $\sum_{n=0}^{\infty}a_n x^n$ 의 수렴반경은 2이상이다.

[21아주]

70. 멱급수 $\sum_{n=0}^{\infty}a_n x^n$ 의 수렴반경이 2이상이면 무한급수 $\sum_{n=0}^{\infty}(-1)^n a_n$ 은 수렴한다.

[12국민]

71. 실수 a 가 $0 < a < 1$ 일 때 고정된 실수 k 에 대하여 급수 $\sum_{n=1}^{\infty}n^k a^n$ 은 수렴한다.

(O)

[12국민]

72. 멱급수 $\sum_{n=1}^{\infty}a_n x^n$ 의 수렴반경 R 이면 멱급수 $\sum_{n=1}^{\infty}a_n(5x)^n$ 의 수렴반경은 $\dfrac{R}{5}$ 이다.

(O)

[12국민]

73. 멱급수 $\displaystyle\sum_{n=1}^{\infty} a_n x^n$의 수렴반경 R이면 멱급수

$\displaystyle\sum_{n=1}^{\infty} a_n x^{5n}$의 수렴반경은 R^5이다.

(X)

74. 수열 $\{a_n\}$과 수열 $\{b_n\}$이 모두 수렴하면 수열

$\{a_n + b_n\}, \{a_n - b_n\}, \{a_n b_n\}, \left\{\dfrac{a_n}{b_n} \ (단, b_n \neq 0)\right\}$은 수렴한다.

(O)

[16건국]

75. 수열 $\{a_n\}$과 수열 $\{b_n\}$이 모두 발산하면 수열 $\{a_n + b_n\}$도 발산한다.

(X)

[13이화]

76. 두 수열 $\{a_n\}$과 $\{b_n\}$에 대하여

$\displaystyle\lim_{n \to \infty}(a_n + b_n) = \lim_{n \to \infty} a_n + \lim_{n \to \infty} b_n$ 이 성립한다.

(X)

[14숭실]

77. 두 수열 $\{a_n\}$과 $\{b_n\}$이 수렴하면 수열 $\{a_{2n} b_{2n+1}\}$도 수렴한다. (O)

[14숭실]

78. 수열 $\{(-1)^n a_n\}$이 수렴하면 수열 $\{|a_n|\}$도 수렴한다. (O)

[16경기]

79. 수열 $\{a_n\}_{n=1}^{\infty}$ 이 수렴하고 극한값이 0이 아닐 때, 수열 $\{b_n\}_{n=1}^{\infty}$이 발산하면 수열 $\{a_n b_n\}_{n=1}^{\infty}$도 발산한다. (O)

[13이화]

80. 모든 자연수 n에 대하여 $a_n < a_{n+1}$이고 $a_n < M$을 만족하면 수열 $\{a_n\}$은 수렴한다. (단, M은 어떤 양수이다.)
(O)

20건대

1) 모든 항이 양수인 수열 $\{n^2 a_n\}$ 이 1로 수렴할 때, $\displaystyle\sum_{n=1}^{\infty}(a_n)^p$ 이 수렴하는 실수 p 만 있는 것은?

① -1 ② $-1, 1$ ③ $\dfrac{1}{2}, 2$ ④ $1, 2$ ⑤ $\dfrac{1}{2}, 1, 2$

Ans. ④

19건대

2) 멱급수 $\displaystyle\sum_{n=0}^{\infty}\dfrac{n(2x+4)^n}{6^{n+1}}$ 의 수렴 구간은?

① $(-5, 1)$ ② $[-5, 1)$ ③ $(-2, 1)$ ④ $(-8, 4)$ ⑤ $[-8, 4)$

Ans. ①

19건대

3) 다음 중 수렴하는 급수의 개수는?

ㄱ. $\displaystyle\sum_{n=1}^{\infty}\dfrac{\ln n}{n}$

ㄴ. $\displaystyle\sum_{n=1}^{\infty}\dfrac{4n^2+10^5 n}{\sqrt{2+10 n^5}}$

ㄷ. $\displaystyle\sum_{n=3}^{\infty}\dfrac{(-1)^n n}{10^n}$

ㄹ. $\displaystyle\sum_{n=0}^{\infty}\dfrac{\sin(n+0.5)\pi}{2+\sqrt[3]{2n}}$

ㅁ. $\displaystyle\sum_{n=0}^{\infty}\dfrac{n^{1000}1000^n}{n!}$

① 1 ② 2 ③ 3 ④ 4 ⑤ 5

Ans. ③

18건대

4) 멱급수 $\displaystyle\sum_{n=0}^{\infty} \frac{(3-2x)^{2n}}{\sqrt{2n+1}}$ 의 수렴구간은?

① $(1,2)$ ② $[1,2)$ ③ $(1,2]$ ④ $[1,2]$ ⑤ $(-\infty, \infty)$

Ans. ①

18건대

5) 급수 $\displaystyle\sum_{n=0}^{\infty} \frac{(-1)^n}{n+1}\left(\frac{1}{2}\right)^n$ 의 합은?

① $\ln\dfrac{3}{2}$ ② $\ln 2$ ③ $\ln\dfrac{9}{4}$ ④ $\ln 3$ ⑤ $\ln 4$

Ans. ③

18건대

6) 모든 항이 양수인 수열 $\{na_n\}$ 이 2로 수렴하는 증가수열일 때, 다음급수 중 반드시 수렴하는 것을 모두 고르면?

$$(a) \ \sum_{n=1}^{\infty} a_n \qquad (b) \ \sum_{n=1}^{\infty} a_n^2 \qquad (c) \ \sum_{n=1}^{\infty} \left(\frac{1}{2}\right)^{a_n}$$

① (a) ② (b) ③ (c) ④ (b), (c) ⑤ (a), (b), (c)

Ans. ②

17건대

7) 멱급수 $\displaystyle\sum_{n=1}^{\infty}\frac{n!(2n)!}{(3n)!}x^{3n}$ 의 수렴반지름은?

① $\dfrac{1}{\sqrt[3]{4}}$ ② $\dfrac{2}{\sqrt[3]{4}}$ ③ $\dfrac{3}{\sqrt[3]{4}}$ ④ $\dfrac{4}{\sqrt[3]{4}}$ ⑤ $\dfrac{5}{\sqrt[3]{4}}$

Ans. ③

16건대

8) 다음에서 맞는 항목은 모두 몇 개인가?

ㄱ. 수열 $\{a_n\}$과 수열 $\{b_n\}$이 모두 발산하면 수열 $\{a_n+b_n\}$도 발산한다.
ㄴ. 급수 $\sum a_n$이 절대수렴하면 급수 $\sum a_n \sin n$은 수렴한다.
ㄷ. 급수 $\sum a_n$ 과 급수 $\sum b_n$이 모두 수렴하면 급수 $\sum a_n b_n$도 수렴한다.
ㄹ. 급수 $\sum a_n$이 수렴하면 $\displaystyle\lim_{n\to\infty}\sqrt[n]{|a_n|}<1$ 이다.

① 0개 ② 1개 ③ 2개 ④ 3개 ⑤ 4개

Ans. ②

16건대

9) 다음에서 수렴하는 급수를 모두 고르면?

ㄱ. $\displaystyle\sum_{n=0}^{\infty} \frac{1}{n^2+1}$	ㄴ. $\displaystyle\sum_{n=1}^{\infty} (-1)^n \frac{n-1}{2n+1}$
ㄷ. $\displaystyle\sum_{n=2}^{\infty} \frac{\sin n}{(n+1)(\ln n)^2}$	ㄹ. $\displaystyle\sum_{n=1}^{\infty} 2^{-n}\left(1+\frac{1}{n}\right)^{n^2}$

① ㄱ,ㄴ ② ㄱ,ㄷ ③ ㄴ,ㄷ ④ ㄱ,ㄴ,ㄷ ⑤ ㄱ,ㄷ,ㄹ

Ans. ②

15건대

10) 다음에서 급수 중 수렴하는 것을 모두 고르면?

ㄱ. $\displaystyle\sum_{n=0}^{\infty} \frac{\sqrt{n}-1}{n^2+1}$	ㄴ. $\displaystyle\sum_{n=0}^{\infty} (-1)^n \frac{(2n-1)^{4n}}{(3n+1)^{2n}}$
ㄷ. $\displaystyle\sum_{n=2}^{\infty} \frac{1}{n(\ln n)^{3/2}}$	ㄹ. $\displaystyle\sum_{n=2}^{\infty} (-1)^n \frac{(\ln n)^5}{\sqrt[3]{n}}$

① ㄱ, ㄴ

② ㄱ, ㄷ

③ ㄴ, ㄷ

④ ㄱ, ㄴ, ㄹ

⑤ ㄱ, ㄷ, ㄹ

Ans. ⑤

15건대

11) 멱급수 $\displaystyle\sum_{n=0}^{\infty} \frac{(-3x+2)^n}{2^n(n^2+1)}$ 의 수렴구간은?

① $0 < x \le \dfrac{4}{3}$

② $0 \le x \le \dfrac{4}{3}$

③ $-\dfrac{1}{3} \le x < \dfrac{5}{3}$

④ $-\dfrac{1}{3} < x \le \dfrac{5}{3}$

⑤ $-\dfrac{1}{3} \le x \le \dfrac{5}{3}$

Ans. ②

20성대

12) 멱급수 $\displaystyle\sum_{n=2020}^{\infty} \frac{(x-4)^{2021n}}{n+3}$ 의 수렴구간은?

① $[3,5)$

② $[3,5]$

③ $(2,6]$

④ $[2,6)$

⑤ $(-\infty,\ \infty)$

Ans. ①

19성대

13) 다음 중 구간 $-2 < x < -1$에서 수렴하는 수열을 모두 고르면?

$$\text{ㄱ.} \sum_{n=0}^{\infty} \frac{(-2)^n x^n}{\sqrt{n+1}} \qquad \text{ㄴ.} \sum_{n=0}^{\infty} \frac{(x-1)^n}{\ln n} \qquad \text{ㄷ.} \sum_{n=0}^{\infty} \frac{n(x+1)^n}{2^{n+1}}$$

① ㄱ,ㄴ ② ㄴ,ㄷ ③ ㄱ ④ ㄴ ⑤ ㄷ

Ans. ⑤

20한양

14) 급수 $\sum_{n=1}^{\infty} \frac{n^n \cdot n!}{\{1 \cdot 5 \cdot 9 \cdots (4n-3)\}^2} x^{2n-1}$이 수렴하도록 하는 자연수 x의 개수는?

① 1 ② 2 ③ 3 ④ 4 ⑤ 5

Ans. ②

19한양

15) 멱급수 $\displaystyle\sum_{n=0}^{\infty}\frac{(n!)^3}{(3n)!}(x-30)^n$의 수렴반경이 r이고 수렴구간은 (a,b)일 때, $r+a+b$의 값을 구하시오.

Ans. 87

15한양

16) 다음 급수의 수렴집합 중에서 가장 큰 집합은?

① $\displaystyle\sum_{n=1}^{\infty}(-1)^n\frac{x^{n+1}}{n(n+1)}$

② $\displaystyle\sum_{n=1}^{\infty}(-1)^n\frac{x^n}{n}$

③ $\displaystyle\sum_{n=1}^{\infty}(-1)^{2n+1}\frac{x^{2n+1}}{2n+1}$

④ $\displaystyle\sum_{n=1}^{\infty}(-1)^n n x^{2n}$

Ans. ①

14한양

17) 다음 <보기>에서 절대수렴하는 무한급수들을 모두 고른 것은?

가. $\displaystyle\sum_{n=1}^{\infty} \frac{(-10)^n}{n!}$

나. $\displaystyle\sum_{n=1}^{\infty} \frac{(-1)^{n+1}}{n^{\frac{1}{4}}}$

다. $\displaystyle\sum_{n=1}^{\infty} \frac{n^n}{3^{3n+1}}$

라. $\displaystyle\sum_{n=1}^{\infty} \frac{n(-3)^n}{4^{n-1}}$

---

① 가, 나 ② 다, 라 ③ 가, 라 ④ 가, 다, 라

Ans. ③

20서강

18) 다음 급수 ㄱ~ㄷ 중에서 수렴하는 것만을 고른 것은?

ㄱ. $\displaystyle\sum_{n=1}^{\infty} \frac{n^n}{n!3^n}$

ㄴ. $\displaystyle\sum_{n=1}^{\infty} \sin\frac{1}{n}$

ㄷ. $\displaystyle\sum_{n=2}^{\infty} \frac{1}{n \ln n}$

---

① ㄱ ② ㄴ ③ ㄷ ④ ㄱ,ㄴ ⑤ ㄴ,ㄷ

Ans. ①

20이대

19) 다음 세 무한급수의 수렴반경들 중 가장 큰 수렴반경과 가장 작은 수렴반경의 곱을 구하시오.

$$a. \sum_{n=1}^{\infty} \frac{n! x^{n+1}}{n^n} \qquad b. \sum_{n=1}^{\infty} \frac{\sqrt{n}\, x^{2n}}{9^n} \qquad c. \sum_{n=1}^{\infty} \frac{(n!)^2 x^n}{(2n)!}$$

Ans. $4e$

19서강

20) 다음 <보기>의 급수 중에서 수렴하는 것만을 있는 대로 고른 것은?

ㄱ. $\displaystyle\sum_{n=1}^{\infty} \frac{n!}{2^n}$	ㄴ. $\displaystyle\sum_{n=1}^{\infty} \frac{1}{n+1}\cos\left(\frac{\pi}{n}\right)$	ㄷ. $\displaystyle\sum_{n=2}^{\infty} \frac{\ln n}{(n+1)(n+2)}$

① ㄱ ② ㄴ ③ ㄷ ④ ㄴ,ㄷ ⑤ ㄱ,ㄴ,ㄷ

Ans. ③

18서강

21) 다음 <보기>의 멱급수 중에서 수렴구간이 $[-1, 1]$을 포함하는 것만을 있는 대로 고른 것은?

ㄱ. $\displaystyle\sum_{n=1}^{\infty} \frac{x^n}{n\ln(n+1)}$	ㄴ. $\displaystyle\sum_{n=1}^{\infty} \frac{2^n x^n}{n!}$	ㄷ. $\displaystyle\sum_{n=1}^{\infty} \frac{\cos\left(\frac{n}{2}\pi\right)x^n}{n^2}$

① ㄴ ② ㄱ, ㄴ ③ ㄱ, ㄷ ④ ㄴ, ㄷ ⑤ ㄱ, ㄴ, ㄷ

Ans. ④

16서강

22) 다음 <보기>에서 수렴하는 급수를 모두 고르면?

가. $\displaystyle\sum_{n=1}^{\infty} \frac{(-\sqrt{2})^n}{n^4+1}$	나. $\displaystyle\sum_{n=2}^{\infty} \frac{1}{n\ln n\sqrt{\ln n}}$	다. $\displaystyle\sum_{n=1}^{\infty} \frac{\cos n\pi}{\sqrt{n}}$

① 가   ② 나   ③ 다   ④ 가, 다   ⑤ 나, 다

Ans. ⑤

16서강

23) 멱급수 $\displaystyle\sum_{n=1}^{\infty} \frac{\ln n}{2^n}(x-1)^n$ 의 수렴구간은?

① $[-1, 3)$ ② $(-1, 3)$ ③ $[0, 2]$ ④ $[-2, 2)$ ⑤ $(-2, 2)$

Ans. ②

16이대

24) 다음 적분 중 수렴하는 것을 모두 고르시오.

ㄱ. $\displaystyle\int_1^{\infty} (\sqrt{x^4+x+1} - \sqrt{x^4+1})dx$
ㄴ. $\displaystyle\int_2^{\infty} \frac{\sin x}{x\log x}dx$
ㄷ. $\displaystyle\int_0^1 x\sin\left(\frac{1}{x}\right)dx$

① ㄱ, ㄴ   ② ㄱ, ㄷ   ③ ㄷ   ④ ㄴ, ㄷ   ⑤ ㄱ, ㄴ, ㄷ

Ans. ④

16이대

25) 다음 급수 중 수렴하는 것을 모두 고르시오.

> ㄱ. $\displaystyle\sum_{n=1}^{\infty}(-1)^n\left(\sqrt{n+1}-\sqrt{n}\right)$
>
> ㄴ. $\displaystyle\sum_{n=1}^{\infty}\frac{1}{n(1+n\log n)}$
>
> ㄷ. $\displaystyle\sum_{n=1}^{\infty}\frac{1}{n^{1+(1/n)}}$

① ㄱ, ㄴ ② ㄱ, ㄷ ③ ㄴ ④ ㄴ, ㄷ ⑤ ㄱ, ㄴ, ㄷ

Ans. ①

22중대(수학)

26) 다음 <보기>의 급수 중에서 수렴하는 것의 개수는?

<보기>

(가) $\displaystyle\sum_{n=3}^{\infty}\ln\left(1+\frac{1}{n^2-1}\right)$ (나) $\displaystyle\sum_{n=1}^{\infty}\frac{1}{n\left(1+\frac{1}{\sqrt{2}}\cdots+\frac{1}{\sqrt{n}}\right)}$

(다) $\displaystyle\sum_{n=1}^{\infty}\frac{1}{\sqrt{n}}\ln\left(\frac{n+1}{n}\right)$ (라) $\displaystyle\sum_{n=1}^{\infty}\sin\left(\frac{1}{n}\right)$

① 1　②2　③3　④4

15이대

27) 다음의 급수 중 수렴하는 것을 모두 고르시오.

ㄱ. $\sum_{n=1}^{\infty} (-1)^n \dfrac{1}{1+e^{-\frac{1}{n}}}$

ㄴ. $\sum_{n=1}^{\infty} n^3 e^{-n}$

ㄷ. $\sum_{n=1}^{\infty} \tan^2\left(\dfrac{1}{n}\right)$

① ㄱ, ㄴ   ② ㄱ, ㄷ   ③ ㄴ   ④ ㄴ, ㄷ   ⑤ ㄱ, ㄴ, ㄷ

Ans. ④

15이대

28) 다음 명제들 중 옳은 것을 모두 고르시오.

ㄱ. 두 개의 수열 $\{a_n\}, \{b_n\}$ 이 모두 발산하는 경우, $\{a_n + b_n\}$ 도 발산한다.

ㄴ. 급수 $\sum_{n=1}^{\infty} a_n$ 이 수렴하는 경우, $\sum_{n=1}^{\infty} (-1)^n a_n$ 도 수렴한다.

ㄷ. 멱급수 $\sum_{n=1}^{\infty} \dfrac{x^n}{n!}$ 은 모든 x 에 대하여 수렴한다.

ㄹ. 함수 $f(x)$는 다음과 같이 전개 된다고 가정하자:
$f(x) = 1 + x - \dfrac{1}{2!}x^2 - \dfrac{1}{3!}x^3 + \dfrac{1}{4!}x^4 + \dfrac{1}{5!}x^5 + \cdots$ 이때, $f^{(4)}(0) = 1$ 이다.

① ㄱ, ㄴ ② ㄴ, ㄹ ③ ㄷ, ㄹ ④ ㄱ, ㄷ   ⑤ ㄱ, ㄴ, ㄹ

Ans. ③

20아주

29) 다음 <보기>의 내용 중 옳은 것은 모두 몇 개인가?

ㄱ. 무한급수 $\sum_{n=1}^{\infty} a_n$이 조건부 수렴하면 무한급수 $\sum_{n=1}^{\infty} n^2 a_n$은 발산한다.

ㄴ. 무한급수 $\sum_{n=1}^{\infty} a_n$이 수렴하면 무한급수 $\sum_{n=1}^{\infty} (-1)^n a_n$은 수렴한다.

ㄷ. $\sum_{n=3}^{\infty} \dfrac{1}{n(\ln n)^2} < \dfrac{1}{\ln 2}$

ㄹ. 멱급수 $\sum_{n=1}^{\infty} a_n x^n$의 수렴반경이 1이면 $\sum_{n=1}^{\infty} a_n$은 수렴한다.

① 0개

② 1개

③ 2개

④ 3개

⑤ 4개

Ans. ③

19아주

30) 무한급수 $\sum_{n=1}^{\infty} \dfrac{n^2 + 3n + 1}{(n+2)!}$의 값을 구하면?

① $\dfrac{1}{4}$　② $\dfrac{1}{3}$　③ $\dfrac{1}{2}$　④ 1　⑤ $\dfrac{3}{2}$

Ans. ⑤

19아주

31) 무한급수 $\displaystyle\sum_{n=1}^{\infty} a_n$의 수렴·발산 판정에 대한 다음 설명 중 옳은 것은?

① 모든 n에 대해 $a_n \leq b_n$이고 $\displaystyle\sum_{n=1}^{\infty} b_n$이 수렴하면 $\displaystyle\sum_{n=1}^{\infty} a_n$은 수렴한다.

② 모든 n에 대해 $b_n \leq a_n$이고 $\displaystyle\sum_{n=1}^{\infty} b_n$이 수렴하면 $\displaystyle\sum_{n=1}^{\infty} a_n$은 수렴한다.

③ 모든 n에 대해 $b_n \leq a_n$이고 $\displaystyle\sum_{n=1}^{\infty} b_n$이 발산하면 $\displaystyle\sum_{n=1}^{\infty} a_n$은 발산한다.

④ 모든 n에 대해 $|b_n| \leq a_n$이고 $\displaystyle\sum_{n=1}^{\infty} b_n$이 수렴하면 $\displaystyle\sum_{n=1}^{\infty} a_n$은 수렴한다.

⑤ 모든 n에 대해 $|b_n| \leq a_n$이고 $\displaystyle\sum_{n=1}^{\infty} b_n$이 발산하면 $\displaystyle\sum_{n=1}^{\infty} a_n$은 발산한다.

Ans. ⑤

18아주

32) 무한급수에 대한 <보기>의 내용 중 옳은 것은 모두 몇 개인가?

> ㄱ. $\displaystyle\sum_{n=1}^{\infty} \frac{a_n}{n}$이 수렴하면 $\displaystyle\sum_{n=1}^{\infty} (-1)^n \frac{a_n}{n}$은 수렴한다.
>
> ㄴ. $\displaystyle\sum_{n=1}^{\infty} (-1)^n \frac{a_n}{n}$이 수렴하면 $\displaystyle\sum_{n=1}^{\infty} \frac{a_n}{n}$은 수렴한다.
>
> ㄷ. $\displaystyle\sum_{n=1}^{\infty} \frac{(-1)^n}{\ln(\ln(n+2018))}$은 절대수렴한다.
>
> ㄹ. $\displaystyle\sum_{n=1}^{\infty} (-1)^n \sin^3\left(\frac{1}{\sqrt{n}}\right)$은 조건수렴한다.

① 0개

② 1개

③ 2개

④ 3개

⑤ 4개

Ans. ①

18아주

33) 무한급수 $\displaystyle\sum_{n=1}^{\infty}\left[\tan^{-1}(n+1)-\tan^{-1}(n-1)\right]$ 의 합은?

① 0

② $\dfrac{\pi}{4}$

③ $\dfrac{\pi}{2}$

④ $\dfrac{3\pi}{4}$

⑤ π

Ans. ④

20항공

34) 다음 중 $f(x)=\dfrac{a^1}{1}(x-b)^1+\dfrac{a^2}{2}(x-b)^2+\dfrac{a^3}{3}(x-b)^3+\dfrac{a^4}{4}(x-b)^4+\cdots$ 가 수렴하기 위한 x의 범위를 올바르게 서술한 것은?

① $\left[\dfrac{b-1}{a},\dfrac{b+1}{a}\right]$ ② $\left[\dfrac{b-1}{a},\dfrac{b+1}{a}\right)$ ③ $\left[b-\dfrac{1}{a},b+\dfrac{1}{a}\right)$ ④ $\left[b-\dfrac{1}{a},b+\dfrac{1}{a}\right]$

Ans. ③

14항공

35) 멱급수 $\sum\limits_{n=0}^{\infty} \dfrac{2^n e^6}{n!}(x-3)^n$의 수렴반경은?

① 0   ② 1   ③ 3   ④ ∞

Ans. ④

14항공